"Non ! Laissez-moi ! Je vous déteste !"

Vicente la regarda d'un air de défi et répondit, "Je me suis montré trop indulgent avec vous jusqu'à présent. Désormais, pour chaque insulte que vous prononcerez, j'entends obtenir un dédommagement. A chaque injure, vous me devez un baiser…"

"Allez au diable!" lança Regina.

"Très bien, vous l'aurez voulu."

La douceur de son baiser surprit la jeune fille. Fermant les yeux, elle s'abandonna au plaisir qu'il savait dispenser avec art. Elle noua instinctivement ses bras autour de lui, comme pour le retenir…

Soudain il la lâcha. Son corsage froissé, ses cheveux en désordre lui arrachèrent un sourire.

"Enfin…Pour la première fois, vous donnez l'impression d'être vraiment une fiancée comblée!"

DANS COLLECTION HARLEQUIN

Jessica Steele
est l'auteur de

Pays pourpre

Jessica Steele

Harlequin Romantique

PARIS · MONTREAL · NEW YORK · TORONTO

Publié en octobre 1984

©1984 Harlequin S.A. Traduit de *Innocent Abroad,*
©1981 Jessica Steele. Tous droits réservés. Sauf pour des
citations dans une critique, il est interdit de reproduire ou
d'utiliser cet ouvrage sous quelque forme que ce soit, par des
moyens mécaniques, électroniques ou autres, connus
présentement ou qui seraient inventés à l'avenir, y compris la
xérographie, la photocopie et l'enregistrement, de même que
les systèmes d'informatique, sans la permission écrite de
l'éditeur, Editions Harlequin, 225 Duncan Mill Road, Don Mills,
Ontario, Canada M3B 3K9.

ISBN 0-373-41288-6

Dépôt légal 4ᵉ trimestre 1984
Bibliothèque nationale du Québec et Bibliothèque nationale
du Canada.

Imprimé au Québec, Canada—Printed in Canada

1

Le claquement sec de la porte qui se refermait fit sursauter Regina Barrington. Essoufflée, les cheveux en désordre, elle resta un instant immobile, dans le couloir, incapable d'aller plus loin. Après quelques minutes, elle se souvint qu'elle se trouvait à l'abri des regards indiscrets. Elle pouvait enfin donner libre cours à son chagrin, s'abandonner aux larmes trop longtemps contenues. Elle éclata alors en sanglots.

Elle aperçut, dans le miroir de l'entrée, le reflet de son visage, où se lisait la détresse qui l'habitait. Quelques heures auparavant, elle avait examiné d'un œil critique, dans le même miroir, le maquillage qui rehaussait discrètement l'éclat de son teint, et, satisfaite, elle avait couru, débordante de joie et d'impatience, au rendez-vous fixé par Clive. Elle croyait déjà entendre les mots qu'il allait prononcer, exauçant ainsi son vœu le plus cher. Mais le beau rêve s'était soudain transformé en cauchemar.

La veille, pourtant, après une longue promenade qui les avaient conduits au bord de la Tamise, ils s'étaient enfin avoué leur amour, et avaient passé des moments enchanteurs, silencieux, tout à leur bonheur.

Aussi, bien que Clive ne lui téléphonât jamais le lundi, d'habitude, n'avait-elle pas été vraiment surprise de reconnaître sa voix au bout du fil, le matin même.

C'est à peine s'il avait pris le temps de lui dire bonjour avant de lui demander, avec gravité :

— Est-ce que tu m'aimes encore, aujourd'hui ?

Elle ne fut capable d'articuler qu'un faible oui d'une voix altérée par l'émotion, mais la douceur de son intonation évoquait de manière suffisamment éloquente ce qu'elle ressentait.

— J'ai de mauvaises nouvelles à t'apprendre, hélas, avait-il ajouté, après un court silence.

La firme d'électronique dans laquelle il travaillait comme technicien, avait conclu un marché très important avec les Etats-Unis. Le contrat exigeait que les équipements soient prêts à fonctionner au début de l'année suivante, et une équipe était partie pour les mettre en place. Mais un des membres de cette équipe venait de tomber malade. Clive partait le lendemain pour le remplacer. Il resterait absent tout un mois, et ne reviendrait que le premier janvier.

— Mais alors, tu ne seras pas là pour Noël ! protesta vivement Regina.

Il tenta de lui expliquer que son désir de se trouver auprès d'elle ce jour-là, si fort qu'il fût, pesait bien peu au regard des intérêts énormes qui étaient en jeu.

Elle ne l'écouta pas, tout à sa déception.

— Tu vas manquer le mariage de Bella...

— Je sais, chérie, cependant ce voyage sera décisif pour ma carrière.

Le ton de sa voix révélait son conflit intérieur. Regina, aussitôt, se reprocha de se montrer aussi peu raisonnable. Sa contrariété disparut d'ailleurs bien vite, car il poursuivit :

— Nous n'avons pas l'habitude de nous voir le lundi, mais, étant donné les circonstances, nous pourrions peut-être faire une exception. J'ai quelque chose d'important à te demander. J'aimerais que tu y réfléchisses pendant mon absence.

Une certitude s'imposa immédiatement à la jeune fille : cette chose si importante ne pouvait être qu'une demande en mariage. Elle fut tentée de lui répondre tout de suite qu'il était inutile d'attendre aussi longtemps : rien ne la rendait plus heureuse que la perspective de devenir sa femme.

La bonne éducation, un peu vieux jeu, qu'elle avait reçue, la retint. Elle se souvint de sa grand-mère lui disant :

— Attends que l'on t'interroge pour parler, mon enfant.

Un sanglot plus fort que les autres arracha Regina à ses pensées douloureuses, et la fit revenir à la réalité des objets familiers qui l'entouraient. Un coup d'œil à la pendule du salon lui apprit qu'il était presque minuit. Bella allait rentrer d'un instant à l'autre.

Les deux sœurs, qui partageaient le même appartement, avaient toujours été très proches l'une de l'autre, et la mort de leurs parents avait encore resserré leurs liens. Elles se confiaient tous leurs petits secrets, et Regina était impatiente de pouvoir épancher son chagrin entre les bras accueillants et protecteurs de Bella.

Pourtant, quelques heures auparavant, elles avaient ri et dansé ensemble, emportées par l'excès de leur joie. Bella s'apprêtait alors à rejoindre James Usher, l'homme qu'elle devait épouser très bientôt. Elle rayonnait de son bonheur tout neuf, acquis après tant de vicissitudes, de ruptures et de retrouvailles. Elle s'était arrêtée brusquement au seuil de la chambre, et avait souri à la vue de Regina dans ses plus beaux atours.

Celle-ci l'avait déjà informée du départ de Clive le lendemain, et de leur rendez-vous, le soir même. Mais à voir le soin tout particulier qu'elle apportait à sa toilette, Bella comprit qu'il y avait anguille sous roche.

— Eh bien ! Que se passe-t-il donc pour que tu te fasses si belle, ce soir ?

Regina n'avait pas pu lui cacher son espoir plus longtemps.

— Je pense que Clive... il va sans doute me demander d'être sa femme.

Bella avait alors oublié son propre bonheur, pour partager celui de sa cadette, et l'avait entraînée en riant dans une sorte de danse improvisée et maladroite au milieu du salon.

Et maintenant, comment allait-elle accueillir les confidences de Regina ? Celle-ci entendit le bruit de la clé dans la serrure, et une voix entonnant une version sonore de la « Marche Nuptiale ». Le chant s'interrompit net dès que Bella franchit le seuil de la chambre.

— Bella ! Oh Bella...

Les larmes de Regina reprirent de plus belle. Bella courut alors vers le lit, et la prit dans ses bras.

— Qu'y a-t-il, ma chérie ? Que se passe-t-il ?

— Il... Clive est déjà marié !

Les yeux de Bella s'arrondirent de stupeur, puis reflétèrent une telle fureur qu'elle eût foudroyé Clive sur place, s'il avait été là. Après avoir essuyé d'une main apaisante les pleurs qui inondaient les joues de sa sœur, elle exigea le récit détaillé de l'entrevue.

— Ainsi donc, bien loin de te proposer le mariage, ce monsieur te demande d'aller vivre avec lui, résuma-t-elle à la fin, et elle marmonna quelques commentaires peu flatteurs à l'intention de ceux qui détournent les jeunes filles crédules du droit chemin.

— Il désire m'épouser, protesta faiblement Regina, mais sa femme refuse de lui accorder le divorce.

Le regard de Bella ne s'adoucit pas pour autant.

— Tu as refusé, j'espère ?

— Je... Je n'ai pas pu. Mais je ne lui ai pas répondu oui non plus, s'empressa-t-elle d'ajouter. En fait, Clive s'est montré très convaincant. Sur le moment, ses arguments paraissaient irréfutables. Ensuite, après nous être séparés, et quand il a fallu penser à te... l'avouer, j'ai commencé à douter...

— Songes-tu sérieusement à vivre avec lui ?

— Je sais que cela peut sembler affreux. Je sais que nos grands-parents auraient frémi à cette idée, et s'y seraient formellement opposés. Mais je l'aime. Quand je suis avec lui, plus rien n'existe.

Pourtant, Regina possédait trop de bon sens pour ignorer le poids de la réalité quotidienne, dont il lui faudrait bien tenir compte. Serait-elle capable de supporter le regard de ses collègues de bureau, de ses amis, quand ils apprendraient qu'elle habitait sous le même toit que Clive, tout en restant Miss Barrington ? Toutefois, le quitter lui semblait au-dessus de ses forces.

— Dis-moi, reprit Bella d'un ton embarrassé, tu vas sans doute me trouver indiscrète, mais il me paraît indispensable de le savoir. Es-tu la maîtresse de Clive ?

— Non ! Bien sûr que non, balbutia Regina.

— Mais lui l'aurait voulu, n'est-ce pas ?

La rougeur qui envahit les joues de Regina répondit à sa place.

— Voyons, ma chérie, insista Bella d'une voix douce et ferme, comme pour ramener à la raison un enfant récalcitrant, tu dois réfléchir mûrement avant de prendre une décision qui engage toute ta vie. Ton caractère, ton éducation, tes goûts, tout s'oppose à ce que tu puisses t'épanouir dans une telle situation. Je suis convaincue que cela ne te conviendrait pas. Ta conscience ne te laisserait aucun repos.

Plus tard, ces phrases revinrent, lancinantes, envahir l'esprit de Regina qui se tournait et se retournait dans son lit, à la recherche d'un sommeil qui la fuyait. Elle se sentait incapable de prendre une décision. Elle aimait Clive de tout son cœur. Elle savait qu'il n'avait pas voulu lui manquer de respect en lui faisant cette proposition. Des pensées contradictoires tourbillonnaient dans sa tête. Heureusement, le sommeil vint lui apporter quelque répit peu avant que ne retentisse la sonnerie du réveil. Il était l'heure de se lever pour aller travailler.

Elle jeta un regard de tendresse à sa sœur qui dormait encore, dans le lit à côté du sien. Rien n'obligeait Bella à se lever tôt, puisqu'elle avait abandonné sa carrière de danseuse tout de suite après son retour d'Amérique du Sud, en prévision de son mariage prochain avec James.

Quand Bella avait signé un contrat qui exigeait sa présence en Amérique du Sud jusqu'au mois de mars, une dispute très violente l'avait opposée à son fiancé. James avait été tranchant :

— C'est l'Amérique du Sud ou moi.

Mais Bella avait déjà apposé sa signature sur le contrat, elle ne pouvait plus renoncer, elle avait dû partir. Pourtant, son amour pour James l'avait emporté : moins d'un mois plus tard, elle était de retour, ayant réussi, d'une manière restée assez mystérieuse, à se dégager de ses obligations. James, enfin convaincu de la sincérité de son amour, avait alors oublié tout ressentiment. Ils avaient commencé sans plus attendre, les démarches en vue de l'achat d'une maison à Wellesbourne, près de Stratford-sur-Avon, où James travaillait comme architecte.

Des souvenirs du jour où elle était allée visiter cette maison avec Clive revinrent à la mémoire de Regina, et la ramenèrent brusquement à ses propres préoccupations. Ils avaient marché le long de la rivière qui coulait non loin de là, main dans la main. Rien ne troublait alors leur bonheur. A présent, elle allait devoir vivre tout un mois sans le voir, sans l'entendre, sans même une lettre de lui, pensa-t-elle avec désespoir. En effet, ils avaient convenu que

Clive ne lui écrirait pas afin qu'elle puisse prendre sa décision en toute liberté.

Ce mardi s'étira interminablement. Tandis qu'elle regagnait son appartement, en se faufilant avec sa petite Mini, indispensable mais ruineuse, au travers des embouteillages de banlieue, Regina se souvint que Bella ne serait pas là pour l'accueillir. Des mesures à prendre dans la maison l'appelaient à Wellesbourne, avait-elle prétendu. Regina n'était pas dupe. Bella découvrait chaque jour de nouveaux prétextes pour se rendre auprès de James.

Il faisait exceptionnellement chaud en cette journée de décembre, une chaleur comme celle qui en été annonçait généralement un orage. Mais il n'y a pas d'orage au mois de décembre, remarqua Regina en elle-même, pour se rassurer. D'ailleurs, des préoccupations bien plus importantes retenaient son attention. La pensée de Clive revenait comme une obsession. Il devait être arrivé, maintenant. Pourquoi ne lui avait-il pas téléphoné ? Où allait-elle puiser le courage de lui répondre non, alors qu'elle était prête à tout, simplement pour le voir un instant ?

Une sonnerie à la porte interrompit ses réflexions. Elle alla ouvrir et se trouva devant une petite femme d'allure timide, strictement vêtue, et à peine plus âgée qu'elle.

— Etes-vous Regina Barrington ?

— Oui, acquiesça-t-elle, intriguée.

L'inconnue sembla défaillir à cette confirmation.

— Vous êtes très belle, je m'en doutais, reprit-elle après un examen attentif.

— Je ne crois pas vous connaître… commença Regina stupéfaite et mal à l'aise sous ce regard scrutateur.

L'autre continua, sans paraître prendre garde à cette réflexion.

— Clive serait furieux s'il savait que je suis venue vous voir…

Le nom de Clive retentit dans la tête de la jeune fille comme un signal d'alarme.

— Je m'appelle Irène Walker... Je suis la femme de Clive.

Regina se raidit sous le choc de cette révélation, et les battements de son cœur s'accélérèrent.

— Clive m'a appelée ce matin très tôt pour m'annoncer sa visite, poursuivit Irène Walker. Il m'a appris qu'il partait pour les Etats-Unis, et, étant donné son absence au moment de Noël, il m'a demandé s'il pouvait venir embrasser les enfants avant son départ...

— Les enfants ? balbutia Regina, abasourdie.

— Il ne vous a pas parlé d'eux, n'est-ce pas ? Pourtant, il est très fier de se promener avec eux. Il vient les chercher tous les samedis...

Ainsi, c'était là la raison pour laquelle ils ne pouvaient jamais se voir le samedi, la raison des tristesses soudaines et inexpliquées de Clive à la vue d'un enfant courant joyeusement vers son père.

— Tommy a six ans, Dawn en a cinq, précisa Irène Walker, comme si elle répondait à la question que Regina n'avait pas osé formuler. Clive a ensuite mentionné le véritable but de sa visite, que je pressentais : il m'a suppliée de nouveau de consentir à un divorce ; j'ai refusé une fois de plus. Il m'a alors parlé de vous... Il m'a dit qu'il vous aimait, il m'a fait part de son désir de vous épouser...

Sa voix sembla se briser. Regina fut brusquement envahie par le remords, bouleversée par cette souffrance dont elle était, bien involontairement, la cause.

— J'attache beaucoup d'importance à la sécurité financière de mes enfants, reprit Irène Walker, faisant un terrible effort sur elle-même pour maîtriser son émotion. J'ai exigé que Clive me laisse une somme assez importante pour subvenir à leurs besoins au cas où il aurait un accident pendant son voyage. Tommy et Dawn ont éprouvé beaucoup de peine quand leur père a quitté la maison... Je veille à ce qu'au moins il ne leur manque rien sur le plan matériel, ajouta-t-elle comme pour s'excuser.

Regina se représenta cette petite femme frêle se débattant contre les difficultés quotidiennes pour élever dignement ses enfants. Les enfants de Clive... répétait une voix dans sa tête... Les enfants nés de l'amour de Clive et de sa femme... Elle se sentait incapable d'articuler un seul mot, seulement attentive à ne pas laisser paraître la violence de son désarroi.

— Clive m'a affirmé qu'il avait pris toutes les dispositions nécessaires, continua Irène avec un pauvre sourire.

Puis elle changea de sujet, soudainement.

— J'ai obtenu votre adresse en suggérant que s'il lui arrivait quelque chose de grave, vous voudriez sans doute en être avertie. Clive a beaucoup hésité avant de me la donner. J'ai d'abord dû promettre de ne pas l'utiliser à d'autres fins.

— Et vous avez trahi votre promesse, parvint à prononcer Regina, machinalement.

En réalité, cela importait peu. Seul comptait le fait que Clive lui avait caché l'existence de ses enfants.

— Je n'en avais pas l'intention, je vous assure... Vraiment, j'ai essayé de résister. Mais toute la journée j'ai pensé à vous, à chaque minute. Je me demandais sans cesse si je ne faisais pas une erreur en refusant de divorcer. Etes-vous enceinte ? interrogea-t-elle abruptement, en regardant Regina dans les yeux.

— Enceinte !

La voix de Regina était presque un cri. Elle n'avait pu maîtriser la violence de sa protestation.

— Je n'ai pas voulu vous offenser, s'écria Irène aussitôt, d'un air navré. Voyez-vous, j'attendais

Tommy quand Clive et moi nous sommes mariés. J'ai imaginé que...

Elle s'interrompit, détourna la tête, et répéta avec une sorte d'obstination :

— Je refuse de divorcer... Mais si vous étiez enceinte...

— Je ne suis pas enceinte, répliqua Regina avec fermeté.

Irène présenta ses excuses une nouvelle fois, avant de prendre congé.

Après son départ, Regina resta immobile, atterrée, incapable même de pleurer. Il lui semblait que la chaleur inhabituelle de cette journée de décembre pesait sur elle de plus en plus. Les mains moites, les tempes bourdonnantes, elle tenta en vain de mettre de l'ordre dans la confusion de ses pensées.

Soudain, la sonnerie du téléphone retentit dans la pièce silencieuse. Regina le fixa sans réactions. Puis elle se leva pour répondre, avec un soupir de résignation.

— Regina Barrington ? demanda une voix bourrue au fort accent étranger.

— C'est moi-même, répondit-elle avec lassitude, certaine qu'il s'agissait d'une de ces farces qu'affectionnaient les amis de théâtre de Bella.

— Ici Vicente Cardenosa, annonça la voix sans plus de précisions, attendant manifestement une réaction immédiate.

Celle-ci tarda à venir, car quelqu'effort que fît Regina pour fouiller sa mémoire, ce nom n'y éveillait aucun écho familier. Une colère froide sembla gagner son interlocuteur.

— Auriez-vous l'audace de prétendre que vous ne vous souvenez plus de mon nom, ni du marché que nous avons conclu ensemble ? Vous avez pourtant été très largement payée...

Regina aurait aimé trouver une réplique brillante pour jouer son rôle dans ce scénario dont elle ne connaissait pas l'auteur, mais une violente envie de pleurer lui nouait la gorge, et son humeur ne la portait décidément pas à ce genre de plaisanterie.

— Vous avez commis une erreur, Regina Barrington, continua la voix, de plus en plus menaçante, et vous aller devoir la réparer. Venez immédiatement. Si vous n'êtes pas ici avant la fin de la semaine, je viendrai vous chercher moi-même...

Quel comédien remarquable, pensa Regina en frémissant. Au même moment, un éclair stria le ciel, et un coup de tonnerre retentissant ébranla la ville. Une panique irrépressible s'empara de la jeune fille, qui reposa le récepteur du téléphone sur son socle sans s'en apercevoir, et courut à la fenêtre pour fermer les rideaux.

Quand Bella rentra, peu après, elle la trouva pelotonnée dans un fauteuil, les mains sur les oreilles, pâle comme un spectre.

— Oh, ma chérie ! s'exclama-t-elle, n'aie plus peur maintenant. Je suis là. Je suis revenue aussi vite que possible.

Tranquillisée par la présence de sa sœur, Regina essaya maladroitement de lui sourire. Mais tout son corps tremblait.

Sa peur irraisonnée de l'orage était apparue treize ans auparavant, le jour de l'accident qui avait coûté la vie à ses parents. Ce matin-là, après avoir accompagné Bella chez ses grands-parents à la campagne, Regina et ses parents avaient pris la route du retour vers Londres. Peu de temps après leur départ, le vent avait commencé à faire ployer les arbres, et le tonnerre à gronder. Effrayée, Regina avait voulu se réfugier sur les genoux de sa mère, mais son père l'avait taquinée pour cette crainte puérile, et lui avait ordonné de rester assise sur le siège arrière. La violence de la pluie avait progressivement augmenté, la route s'était transformée en torrent. Quand la foudre avait frappé la voiture, celle-ci avait dérapé brutalement, et s'était écrasée contre un arbre. Regina avait eu le temps, avant de perdre conscience, d'apercevoir les corps inanimés de ses parents...

— C'est fini, affirma-t-elle enfin, essayant de se montrer brave. J'aurais besoin d'une bonne tasse de thé, je crois.

Quand Bella revint avec le plateau, Regina la questionna sur la manière dont s'était déroulée sa journée.

— Merveilleusement, répondit celle-ci, en versant le thé, le visage illuminé par une joie qu'elle ne cherchait pas à dissimuler.

— Tu es revenue très tôt, pourtant.

— Dès qu'il a commencé à tonner à Welles-bourne, j'ai décidé de venir te rejoindre.

— Oh, Bella ! Il ne fallait pas... Et James ?

Une expression soucieuse passa fugitivement sur le visage de Bella.

— Tu connais James... Il exige de moi une attention exclusive et de tous les instants. A partir du moment où nous serons mari et femme, dès le lendemain de Noël, j'entends bien me consacrer à lui entièrement et uniquement. Mais jusque-là, il devra compter avec ma petite sœur qui réclame mes soins, plaisanta-t-elle.

Elle continua à bavarder légèrement, pendant qu'elles dégustaient leur thé, espérant détourner les pensées de Regina de l'orage. Soudain, elle demanda :

— Clive t'a-t-il téléphoné, aujourd'hui ?

Regina sursauta, surprise. L'orage avait effacé Clive et Irène de son esprit, pendant quelques instants.

— Non. En revanche, sa femme est venue me voir.

— Sa femme ? s'exclama Bella, abasourdie.

— Oui. En personne.

16

Elle entreprit alors de lui décrire dans le détail son entrevue avec Irène Walker.

— Je n'arrive pas à comprendre pourquoi Clive ne m'a pas parlé de ses enfants, hier soir, murmura-t-elle enfin.

— C'est pourtant clair, déclara Bella d'un ton péremptoire. Il savait parfaitement que tu refuserais de vivre avec lui si tu connaissais leur existence.

Elle avait raison, bien sûr. Il était déjà suffisamment difficile d'envisager de devenir une « concubine » (le mot la faisait frémir), de vivre en situation irrégulière, sans y ajouter le remords de priver des enfants de la présence de leur père. Quel bonheur pourrait-elle espérer dans ces conditions ? Cependant, malgré l'attitude déloyale de Clive à son égard, son amour pour lui restait le même, aussi intense, aussi bouleversant.

Tout à coup, sans savoir vraiment comment elle en était arrivée là, elle s'entendit déclarer d'une voix déterminée :

— Je vais partir, Bella.

— Partir ? Où ? Que veux-tu dire ?

— Je dois quitter Londres, afin que Clive ne puisse pas me retrouver, à son retour.

— Tu l'aimes donc tant ?

Regina éluda la question.

— Changer de vie nécessite beaucoup de courage, observa-t-elle. Il me faudra prendre un nouvel appartement, un nouveau travail. Pour le moment, j'ai assez de forces pour entreprendre tout cela. Mais quand Clive sera là…

— Agir à l'encontre de ce que dicte le cœur demande une volonté de fer, commenta Bella comme pour elle-même, évoquant sa propre expérience, et sa séparation avec James.

Elles restèrent quelques instants silencieuses, absorbées par leurs pensées. Pour dissiper la tristesse qui les avait envahies, Bella prit en main les détails pratiques de l'avenir de Regina.

— Il serait bien que tu disposes d'au moins quinze jours pour te consacrer à la recherche d'un appartement et d'un travail qui puissent te convenir. Il n'y a pas de temps à perdre. Tu devras présenter ta démission dès demain matin à ton bureau, en invoquant par exemple de vagues raisons familiales. Pour l'appartement, je verrai le propriétaire moi-même.

Brusquement, elle s'interrompit, une idée venant de surgir dans son esprit.

— Pourquoi n'essaierais-tu pas de trouver quelque chose aux alentours de Wellesbourne ? Tu es une bonne secrétaire. Tu ne rencontrerais aucune difficulté pour obtenir un emploi à Stratford.

— Impossible, l'arrêta aussitôt Regina. C'est le premier endroit où Clive viendrait me chercher, ajouta-t-elle, coupant court aux protestations de sa sœur.

— J'avais oublié qu'il connaissait la maison de Wellesbourne, admit Bella à regret.

— Je suis épuisée. Si nous allions nous coucher ? proposa Regina d'un ton las.

Après une toilette rapide, elles gagnèrent leurs lits respectifs.

Bella, en bâillant, étendit le bras pour éteindre la lampe de chevet. Soudain, elle suspendit son geste.

— Personne n'a téléphoné pour moi, aujourd'hui ? s'enquit-elle à brûle-pourpoint.

De l'oreiller où Regina avait enfoui sa tête parvint un non somnolent, et, presque aussitôt, un petit rire étouffé.

— J'avais oublié, avoua-t-elle en se soulevant sur un coude. Ce n'est pas très important, d'ailleurs. Tout à l'heure, juste avant l'orage, un de tes amis s'est amusé à mes dépens. Il n'a pas remporté le succès escompté car le moment était mal choisi. Il a demandé Regina Barrington, mais je suis certaine de ne pas le connaître. Sans doute craignait-il d'être trop vite découvert si tu avais répondu.

— Un de mes amis ? répéta Bella, intriguée.

Elle avait eu des amis en quantité au temps de sa « vie d'artiste ». A présent, leurs rapports s'espaçaient, car James l'accaparait entièrement.

— Soupçonnes-tu quelqu'un en particulier ?

— Pas du tout... Il avait déguisé sa voix et adopté un accent étranger. Il a déclaré qu'il s'appelait...

Elle hésita un instant, soucieuse de ne pas faire d'erreur :

— ... Vicente Cardenosa, je crois.

La réaction de Bella fut immédiate et d'une violence déconcertante. Son visage changea totalement d'expression d'une seconde à l'autre, et ses yeux se remplirent d'une telle terreur que Regina se précipita hors de son lit pour aller auprès d'elle.

— Vicente Cardenosa... répétait Bella avec horreur, comme s'il s'agissait du diable en personne.

Regina, paralysée par la stupeur, prit entre les siennes ses mains tremblantes, afin de la calmer. Les rôles étaient désormais inversés : la « petite sœur » s'était transformée en adulte solide et responsable, sur qui l'aînée pouvait s'appuyer.

Bella enfouit sa tête dans ses mains :

— Mon Dieu ! Oh, mon Dieu ! Je suis perdue. Vicente Cardenosa me tient en son pouvoir. Il peut détruire toute ma vie.

2

— Détruire ta vie ? répéta machinalement Regina.

La voix menaçante où roulaient les « r » comme des grondements de tonnerre, résonna à nouveau dans sa tête. Ainsi donc, ce n'était pas une plaisanterie, comme elle l'avait cru tout d'abord. L'intensité de la détresse de Bella l'attestait. Les questions qui se bousculaient en désordre dans son esprit affluèrent toutes en même temps à ses lèvres.

— Qui est cet homme ? Pourquoi détruirait-il ta vie ? Où l'as-tu rencontré ?

Bella leva vers elle un visage aux traits altérés par l'angoisse. Elle hésita, exhala un profond soupir.

— Je l'ai vu pour la première fois à Punta del Este, en Uruguay, parvint-elle enfin à murmurer. J'avais tout lieu de croire que mon retour en Angleterre lui ferait perdre ma trace. Il a probablement extorqué mon adresse et mon numéro de téléphone à une des danseuses de la troupe, en usant de son charme, à son habitude.

— Mais dans quel but te poursuit-il ? Pourquoi désire-t-il que tu partes pour l'Uruguay avant la fin de la semaine prochaine ?

Bella s'empara aussitôt de cette information.

— Il exige que je me rende là-bas ?

— Oui. Il a menacé de venir te chercher lui-même si tu ne t'y trouvais pas dans quelques jours.

— Oh, non ! gémit Bella.

Puis elle se tourna vivement vers Regina.

— Essaie de me rapporter ses paroles avec exactitude, une à une.

Le front de la jeune fille se plissa sous l'effort. Cette conversation téléphonique lui laissait un souvenir assez vague, à l'arrière-plan de la visite d'Irène Walker et de l'orage. Peu à peu, chaque phrase lui revint, et elle reconstitua, à l'intention de Bella, tout l'entretien. La frayeur de celle-ci sembla croître au fur et à mesure. Quand le récit fut achevé, elle éclata en sanglots.

Cette fois, Regina fut tout à fait convaincue qu'il s'agissait d'un événement particulièrement grave, car il fallait des circonstances exceptionnelles pour que Bella se laissât aller à pleurer. Elle avait hâte de savoir.

— Qu'entendait-il par : vous avez été largement payée ? Pourquoi a-t-il demandé Regina et non Rosabel Barrington ? Je m'en souviens parfaitement, c'est bien mon nom qu'il a prononcé. Tu ferais mieux de tout me raconter depuis le commencement. Ce n'est sans doute pas aussi épouvantable que tu l'imagines.

— Oh si ! C'est épouvantable... soupira Bella en cachant son visage dans ses mains.

Le lendemain, à son bureau, Regina accorda peu d'attention à son travail. Ses préoccupations personnelles étaient passées au second plan. Les révélations de Bella l'avaient profondément bouleversée.

Elle se souvint pourtant qu'il lui fallait présenter sa démission. Son patron, M. Elford, ne parut pas enchanté, et fit mine de l'ignorer tout le reste de la journée. Mais c'est à peine si elle s'en aperçut tant son esprit était ailleurs.

Pendant la pause du déjeuner, elle alla s'asseoir sur un banc dans le petit square proche de son lieu de travail. Là, elle eut le loisir, sans faire semblant de s'affairer à sa machine à écrire, de se livrer entièrement à ses pensées.

Comment Bella avait-elle pu commettre une telle folie ? C'était incompréhensible. Si James découvrait la vérité, tous leurs projets d'avenir s'écrouleraient. Cette aventure paraissait tellement incroyable, tellement invraisemblable, que Regina se demanda si elle n'avait pas rêvé, si elle en avait bien entendu le récit de la propre bouche de Bella.

Non seulement celle-ci avait rompu son contact avec sa compagnie de danse, mais elle en avait conclu un autre avec Vicente Cardenosa, verbal celui-là, bien que tout aussi réel, et l'avait trahi à son tour. La colère que celui-ci avait manifestée au téléphone n'était pas complètement dénuée de raisons.

N'en croyant pas ses oreilles, Regina avait écouté attentivement la narration de sa sœur, allant de surprises en surprises.

Une des danseuses de la troupe, avec laquelle Bella était liée d'amitié, avait été hospitalisée à la suite d'un accident, à Punta del Este, un lieu célèbre proche de Montevideo. Bella avait profité d'un jour de congé pour lui rendre visite. Pendant le trajet, plongée une fois de plus dans le souvenir de James, absorbée par le désir obsédant de sa présence, hantée par cette idée fixe qui la rendait insensible au monde extérieur, elle avait pénétré distraitement dans la cour de l'hôpital pour entrer en collision, violemment, avec un homme qui semblait lui-même distrait par ses propres pensées.

— Il m'a aidée à me relever, avait continué Bella, et comme j'avais probablement l'air assez mal en point, il m'a proposé de prendre un verre avec lui pour me remettre. Sur le moment, je l'ai soupçonné de vouloir saisir cette occasion pour me faire la cour, mais je me suis vite aperçu qu'il s'agissait simplement d'un geste de courtoisie de sa part. Les

Uruguayens accordent généralement une grande importance aux règles du savoir-vivre.

— As-tu accepté son invitation ?

— Dans des circonstances ordinaires, j'aurais certainement refusé. Je n'avais nul besoin de remontant, en réalité. Mais cet homme m'intriguait. Quelque chose d'inhabituel en lui m'incitait à le suivre.

— Etait-il si attirant ?

— Certes. Son physique aurait suffi à expliquer ma conduite. Il émanait de lui un grand pouvoir de séduction. Toutefois, ce n'était pas cela qui attisait ma curiosité, mais plutôt son attitude étrange... Il ne semblait faire aucun cas de moi. Une fois, remise de ma chute, je me suis sentie soupesée par un regard averti, celui d'un homme habitué à la compagnie des femmes, mais dépourvu d'admiration ou de désir.

Regina ne fit aucun commentaire. Tout le monde s'accordait à trouver sa sœur très belle, elle était très courtisée.

— Piquée au vif, continua Bella, je me suis promis intérieurement de vaincre son indifférence, de le réduire à ma merci. Je décidai, Dieu sait pourquoi, de l'amener à quémander un rendez-vous, comme les autres...

Regina cilla imperceptiblement devant cette réaction de coquette blessée dans son amour-propre. Mais la tendresse qu'elle portait à Bella la rendait indulgente.

— Comment as-tu agi pour qu'il se jette enfin à tes pieds ? railla-t-elle gentiment.

— Il a résisté à toutes mes tentatives... Silencieux et imperturbable, il m'écoutait, tandis que je bavardais de choses et d'autres, évoquant la beauté de la plage, mes vacances à Punta del Este... Je ne tenais pas à ce qu'il connût la vérité à mon sujet, car j'étais bien résolue à disparaître dès que je serais arrivée à mes fins. Il répondait par monosyllabes, attentif à me resservir du thé quand ma tasse était vide, l'air absent, regardant sa montre de temps à autre, apparemment impatient de partir. Il demeurait avec moi à cause des exigences de la politesse, mais il était clair qu'il n'en retirait aucun plaisir. Aimait-il une femme au point d'ignorer toutes les autres? Je l'interrogeai habilement...

— Habilement?

— Je ne voulais pas paraître indiscrète, mais je me débrouillai pour qu'il m'avoue qu'il n'était pas marié, qu'il n'y avait personne dans sa vie. Puis, à voix basse, comme s'il se parlait à lui-même, il ajouta qu'actuellement, il le regrettait vivement. Sur le moment, je ne prêtai pas attention à cette remarque, ne comprenant pas son sens réel. Je continuai à alimenter la conversation par des propos anodins, mais je lus bientôt sur son visage que la courtoisie, toute uruguayenne qu'elle fût, avait des limites, et qu'il n'allait pas tarder à m'envoyer au diable.

— Il avait peut-être un rendez-vous urgent? suggéra Regina.

— Pas vraiment urgent... rétorqua Bella d'un ton où perçait encore le dépit qu'elle avait ressenti alors. Il m'a fait observer que je semblais tout à fait remise, et m'a priée de l'excuser. Un parent attendait sa visite à l'hôpital, ce qui l'obligeait à me quitter. Je ne voyais pas sous quel prétexte j'aurais pu le retenir plus longtemps, mais comme nous allions au même endroit, je lui proposai de faire le chemin ensemble.

Les joues de Bella avaient retrouvé leur couleur sous l'effet de l'animation qu'elle apportait à son récit. Pourtant, ses yeux s'embuèrent de larmes à nouveau, et elle serra anxieusement son mouchoir roulé en boule dans sa main.

— Ah! si ma stupide vanité ne m'avait pas entraînée dans une aventure aussi insensée! Nous nous serions dit adieu dans la cour, et chacun serait parti de son côté. Mais je ne pouvais pas me résoudre à le laisser aller, toujours aussi distant, poli et froid. Je voulus savoir à qui il rendait visite. Il me répondit qu'il s'agissait de son grand-père. Soudain, la phrase qu'il avait prononcée quelques instants plus tôt me revint en mémoire. Il avait regretté de n'avoir actuellement aucune épouse, ou fiancée. Je devinai intuitivement qu'il existait un rapport entre cette remarque et le vieil homme malade. Je lui posai une question...

— Oh non ! protesta impulsivement Regina, indignée par un tel manque de tact.

— Curieusement, il ne parut pas s'irriter de ma curiosité. Il me confirma que j'avais vu juste. En effet, son grand-père, qu'il chérissait, était mourant, et désespéré de laisser son petit-fils célibataire, sans espoir de descendance pour continuer la lignée.

— Je comprends, approuva Regina. Il aurait sans doute aimé lui offrir un dernier bonheur, celui de connaître celle qui partagerait sa vie, assurant ainsi la perpétuation de son nom.

— Exactement, renchérit Bella. Je ne suis pas aussi sentimentale que toi, pourtant, j'étais attristée à la pensée de ce vieillard cloué sur son lit d'hôpital et rongé par le chagrin. Les visages de nos chers grands-parents m'apparurent avec précision, comme pour m'inciter à agir. Alors sans mesurer les conséquences de mes paroles, j'ai proposé à Vicente Cardenosa de l'accompagner auprès de son grand-père et de jouer le rôle de sa future épouse.

Regina reconnaissait bien là sa sœur et son grand cœur...

— A-t-il accepté ton offre ?

— Pas tout de suite. Il s'est arrêté net, et m'a jeté un tel regard de méfiance que j'ai aussitôt regretté ma suggestion. Puis il sembla réfléchir ; après tout, je lui offrais le moyen de procurer une fin paisible à celui qu'il aimait de toutes ses forces. Il m'apprit que celui-ci avait épousé une Anglaise. Il serait probablement ravi de savoir que son unique petit-fils s'apprêtait à suivre son exemple. Il remarqua alors que nous ne nous étions pas encore présentés l'un à l'autre. Il déclina son nom, et me demanda le mien. Je fus prise de panique.

— Tu avais changé d'avis ?

— Non, non ! Il ne s'agissait pas de cela, mais j'imaginai seulement alors les journaux locaux annonçant en bonne place les fiançailles d'une jeune danseuse anglaise, Miss Rosabel Barrington, avec un citoyen uruguayen : Vicente Cardenosa. L'information serait reprise par la presse anglaise. Je savais trop bien comment James réagirait à la lecture d'une telle nouvelle...

— Tu ne pouvais donc pas lui révéler ta véritable identité, devina Regina, commençant à entrevoir quelques lueurs dans l'épais brouillard qui entourait cette aventure, incroyable.

— Bien sûr que non. Vicente Cardenosa attendait, étonné de mon silence. Le seul nom qui se présenta à mon esprit fut le tien. Je savais, qu'étant donné les circonstances, tu n'y verrais pas d'objection, ajouta-t-elle, sans d'ailleurs laisser le temps à Regina d'exprimer une opinion. Nous sommes donc allés ensemble auprès du vieil homme. Vicente m'a présentée à lui comme sa fiancée. Il paraissait très las, pourtant il sembla immensément soulagé et m'accueillit comme si j'étais sa petite-fille depuis longtemps perdue et revenue après une longue absence.

— L'as-tu revu par la suite ? interrogea Regina, impatiente de comprendre comment cette action généreuse avait pu aboutir aux larmes et à l'angoisse présentes de Bella.

James lui-même aurait pu admettre une impulsion motivée par le seul désir d'aider un malheureux à mourir en paix, songea-t-elle.

— Non, je ne l'ai jamais revu, répondit Bella lentement, en baissant les yeux. En sortant de la chambre du vieillard, je me suis aperçu qu'il était trop tard pour rendre visite à mon amie. Je devais me hâter de rentrer à Montevideo. Vicente m'accompagna jusqu'à la sortie de l'hôpital, s'excusant de ne pouvoir me reconduire lui-même jusqu'au lieu où je résidais, ses affaires le réclamant de manière pressante. Il insista pour régler, avec une générosité qui témoignait de son aisance, le montant de la course du taxi...

Elle s'interrompit soudain, l'air absent.

— Je ne comprends toujours pas ce qui a provoqué sa colère, avoua Regina, ni le sens des mots : « vous avez pourtant été largement payée »...

Bella s'empourpra. Elle en arrivait à la partie délicate de son récit.

— Trois jours plus tard, Vicente Cardenosa se présentait à la réception de mon hôtel, poursuivit-elle à regret. Surprise, je lui demandai comment il avait réussi à me retrouver...

... Vicente avait souri avant de répondre :

— Très simplement. Vous avez étourdiment donné le nom de votre hôtel au chauffeur de taxi. Il m'a été facile de vérifier qu'aucun établissement de ce nom n'existait à Punta del Este. Il ne me restait plus qu'à consulter un annuaire de Montevideo...

Il ne semblait pas lui tenir rigueur de son petit mensonge.

— Je suis venu vous faire une proposition, déclara-t-il sans ambages. Contre toute attente, la santé de mon grand-père, après votre visite, s'est notablement améliorée. On parle même de le laisser rentrer à l'estancia. La joie de me voir abandonner le célibat lui a permis de recouvrer de nouvelles forces. Il se réjouit que mon choix se porte sur une Anglaise. Cependant, les médecins ont été formels : cette rémission est malheureusement temporaire et très fragile. Le moindre choc lui serait fatal. Malgré son grand âge et sa maladie, grand-père conserve toute sa lucidité. Si ma... fiancée n'apparaissait pas de temps à autre à mes côtés, il devinerait qu'on l'a trompé. A aucun prix, je ne veux qu'il découvre mon mensonge. Je vous ai donc recherchée pour vous demander de continuer à assumer votre rôle de future épouse...

Interloquée, Bella avait d'abord fixé Vicente en silence. La plus grande confusion régnait alors dans son esprit. Elle oscillait en permanence entre le désir de rejoindre James et celui de poursuivre sa carrière artistique. Elle accueillit l'offre de Vicente comme un dérivatif au dilemme qui la tenait éveillée, nuit après nuit, incapable de trouver le sommeil, comme une aventure destinée à la distraire de ses préoccupations obsédantes. Sans en être vraiment consciente, elle entrevit également dans cette occasion inespérée, une possibilité de se tirer d'affaire.

— Je lui ai fait remarquer qu'une telle décision serait lourde de conséquences. Je lui ai révélé ma véritable activité : danseuse liée par contrat, il m'en coûterait beaucoup pour me libérer. De plus, si j'abandonnais ma troupe, j'aurais par la suite énormément de mal à obtenir de nouveaux engagements. Cela représenterait une grosse perte financière...

Regina sursauta. Un tel manque de délicatesse de la part de Bella la surprenait. Vicente Cardenosa avait d'ailleurs probablement partagé cette opinion. Bella avait en effet avoué à sa sœur qu'il l'avait alors foudroyée d'un regard de mépris. Il avait aussitôt précisé qu'elle recevrait tous les dédommagements nécessaires, et suggéré une somme énorme propre à lui ôter ses ultimes hésitations.

Regina, les yeux agrandis de stupéfaction à l'énoncé du chiffre, émit un petit cri de surprise. Bella, sans y prendre garde, acheva son récit. Elle accepta la proposition, reçut un chèque et les instructions de Vicente. Elle promit de se trouver, une semaine plus tard, à l'aéroport de Durazno, où il viendrait la chercher.

— Que s'est-il passé ensuite ?

— Je me l'explique difficilement moi-même. J'étais dans une sorte d'état second. La douleur d'être séparée de James me tourmentait jour et nuit. Quand je suis arrivée à l'aéroport, au jour dit, au lieu de prendre le vol pour Durazno, j'ai pris un avion pour Londres, qui partait une heure plus tard...

Un oiseau vint se percher sur une branche de l'arbre sous lequel était assise Regina, et son pépiement bruyant la ramena à la réalité. Un coup d'œil jeté à sa montre lui indiqua qu'il était temps de regagner son bureau, sinon la mauvaise humeur de M. Elford risquait de devenir explosive.

Machinalement, elle expédia quelques lettres sans importance, et, tout au long de l'après-midi, tourna et retourna dans son esprit les données de cet imbroglio dans lequel Bella était prise au piège. Comment avait-elle pu accepter un tel marché et manquer à ce point de scrupules ? se demanda la jeune fille pour la centième fois de la journée. Elle avait trahi sa parole pour s'envoler avec l'argent ! Quand James l'avait interrogée sur les circonstances de son retour prématuré, elle avait invoqué un petit héritage qu'elle aurait reçu bien à propos et qui aurait servi à dédommager l'organisateur de la tournée en Amérique du Sud. S'il apprenait un jour la provenance réelle de cette manne providentielle, il ne voudrait plus jamais revoir Bella, quel que fût son amour pour elle.

Celle-ci, livide, avait conclu son récit en déclarant à sa sœur, que, si elle perdait James, la vie ne présenterait plus aucun intérêt pour elle.

Regina avait été effrayée par l'intensité de son désespoir.

— Il doit certainement exister un moyen de sortir de cette impasse, lui avait-elle affirmé avec force pour la réconforter. Je vais y réfléchir. Fais-moi confiance. Je remuerai ciel et terre, s'il le faut, mais tu retrouveras ton sourire...

Pourtant, elle avait beau examiner le problème sous tous ses angles, elle n'entrevoyait pas l'ombre d'une solution. Elle avait conseillé à Bella de téléphoner à Vicente aujourd'hui même. Peut-être s'était-il adouci ? Peut-être pourrait-elle conclure un arrangement avec lui ?

Ce mince espoir s'évanouit quand, après avoir regagné l'appartement commun, en fin d'après-midi, Regina découvrit les yeux de sa sœur rougis et gonflés par les larmes.

— Que s'est-il passé ? demanda-t-elle sans préambule.

— Il s'est montré inflexible. Son grand-père est sorti de l'hôpital, maintenant. Il ne me laisse qu'une seule alternative : je me rends dans les plus brefs délais en Uruguay, ou je le rembourse. Il est assez perspicace pour deviner que je ne dispose plus de cet argent...

Un lourd silence s'établit dans la pièce. Les deux jeunes filles regardaient obstinément par la fenêtre, comme si une idée providentielle allait en surgir.

— Aimerais-tu une tasse de thé ? interrogea Regina, désespérée de n'avoir rien d'autre à offrir.

— Non. Je te remercie. Je suis désolée de t'ennuyer avec mes préoccupations personnelles, alors que tu traverses toi-même une période très difficile. A ce propos, as-tu présenté ta démission ?

— Oui. M. Elford a accueilli la nouvelle sans enthousiasme.

— Je comprends son mécontentement. Ta décision lui paraît sans doute précipitée. Pourtant, je suis persuadée qu'elle est raisonnable. Changer d'horizon te fera le plus grand bien. Vivre dans un lieu où rien ne te rappellera...

Brusquement, elle s'interrompit, et son visage sembla s'éclairer de l'intérieur.

— Voilà la solution ! s'écria-t-elle avec un soulagement manifeste. Bien sûr ! Comment n'y ai-je pas songé plus tôt ?... Tu désires fuir dans un endroit où il sera impossible à Clive de te retrouver, n'est-ce pas ? Tu souhaites mettre la plus grande distance possible entre toi et lui ? Tu vas donc partir en Amérique du Sud...

— En... En Amérique du Sud ? balbutia Regina, craignant de comprendre.

— Mais oui ! C'est pourtant évident ! Le vaste, l'immense continent, où l'on peut disparaître sans laisser aucune trace. Clive n'aura pas l'idée de te chercher là-bas. Ainsi, tout se résoud en même temps ! Tu disposes d'un lieu pour échapper à Clive. Vicente Cardenosa dispose d'une « fiancée », et je dispose de... James, conclut-elle, triomphante.

— Mais... Voyons Bella... Vicente Cardenosa s'y opposera, j'en suis sûre, parvint à articuler Regina.

— Pourquoi s'y opposerait-il ? Son grand-père le croit prêt à épouser une Anglaise blonde nommée Regina Barrigton. Tu es anglaise, blonde, et tu t'appelles Regina Barrington. N'est-ce pas parfait ? Ne m'objecte pas que le vieil homme s'apercevrait de la substitution : il était très faible quand je lui ai rendu visite. C'est à peine s'il a ouvert les yeux. De plus, je me souviens avoir remarqué une paire de lunettes sur la table de chevet. Il ne possède donc pas une très bonne vue, ce qui est bien normal à son âge.

Bella exultait. Il était clair qu'aucun argument n'aurait pu entamer sa certitude d'avoir enfin trouvé l'issue de l'impasse dans laquelle elle s'était fourvoyée.

— Vicente Car...

— Vicente Cardenosa n'y perdra pas au change, trancha Bella, appréciant d'un regard satisfait la beauté de sa sœur, sans doute moins saisissante que la sienne, plus discrète, mais possédant une qualité de douceur, de fragilité, dont elle était elle-même dépourvue. Il t'accueillera les bras ouverts...

— Les bras ouverts ! sursauta Regina, tremblant par avance à la perspective de sentir autour d'elle l'étreinte de cet homme à la voix de glace.

— Ne crains rien, la rassura Bella en riant, maintenant tout à fait détendue. Vos fiançailles resteront parfaitement platoniques. Jamais Vicente n'a esquissé le moindre geste déplacé envers moi. De plus, tu n'auras pas à jouer ton rôle très longtemps. Le vieil homme est, hélas, très proche de la fin. Les médecins l'ont affirmé.

— C'est impossible, Bella, je ne pourrai jamais, objecta Regina. Je ne pourrai pas... répéta-t-elle piteusement, à court d'arguments.

L'expression de bonheur qu'avait retrouvé le visage de Bella s'effaça aussitôt. Toute son angoisse réapparut.

— Chérie, Regina chérie... Tu tiens mon sort, *notre* sort entre tes mains. Et tu refuserais de me sauver ? Si le moindre mal te menaçait, crois-tu que j'envisagerais, même une seule seconde, de te laisser partir là-bas ? Ne m'as-tu pas affirmé la nuit dernière que tu ne reculerais devant aucun obstacle pour m'aider ?

Regina, la gorge nouée, incapable d'articuler un mot, baissa la tête. Elle l'avait affirmé, en effet.

— N'as-tu pas pris la ferme résolution de mettre la plus grande distance possible entre toi et Clive ?

Regina constata que son assurance d'hier avait considérablement faibli à présent. La nécessité d'un départ lui semblait beaucoup moins évidente. Elle redressa le menton d'un air combatif, décidée à lutter.

— Vicente Cardenosa t'a intimé l'ordre de te rendre en Uruguay dans les plus brefs délais, n'est-ce pas ? Or il m'est impossible de quitter Londres aussi rapidement. Je ferais preuve d'incorrection si j'abandonnais ainsi mon travail d'un jour à l'autre. Je suis tenue de respecter un préavis. De plus, je ne possède ni argent ni passeport.

Bella leva le bras comme pour balayer l'objection.

— Ne te préoccupe pas des détails matériels, lança-t-elle d'un ton entendu, Vicente Cardenosa paiera...

Les yeux de Regina étincelèrent. Son amour pour sa sœur subissait une rude épreuve. Elle faillit répondre qu'elle aurait préféré se rendre en Uruguay à la nage plutôt que d'avoir à quémander un seul centime à cet homme inconnu, mais elle s'efforça de rester calme.

— Tu parais certaine de l'accord de Vicente Cardenosa. Je continue pour ma part à en douter. Attendons de connaître son opinion avant d'élaborer des plans d'avenir. Si tu lui téléphones dès demain pour lui exposer ta proposition, nous serons fixées rapidement. Sa réaction décidera des événements qui vont suivre...

— Tu as raison, approuva Bella, songeuse.

Le jour suivant, Regina ne connut aucun repos. Elle se sentait tiraillée en permanence entre des sentiments contradictoires. D'une part, elle espérait vivement un refus de la part de Vicente Cardenosa, car elle répugnait à cette perspective de voyage lointain. D'autre part, elle se reprochait son égoisme, consciente de trahir la promesse faite à sa sœur de l'aider à n'importe quel prix, et redoutant de porter la responsabilité d'une nouvelle crise de désespoir, peut-être plus violente encore que la précédente.

A son retour, Bella l'accueillit avec un large sourire.

— Il n'a pas opposé la moindre difficulté, annonça-t-elle, les yeux brillants de joie. Il t'attend avec impatience.

3

— Avec impatience ! ironisa Regina, trois semaines plus tard, en parcourant pour la millième fois le trajet séparant la large baie vitrée donnant sur la *Rambla* — vaste avenue élégante longeant la rivière sur des kilomètres — du petit meuble gracieux supportant le téléphone.

Voilà trois jours qu'elle était arrivée dans cette ville, trois jours qu'elle arpentait sa chambre de long en large, en proie aux affres de l'attente, et Vicente Cardenosa ne lui avait toujours pas donné signe de vie. Peut-être était-il furieux de son retard et le lui faisait-il comprendre de cette manière ? Elle avait en effet rencontré de grandes difficultés pour recueillir l'argent nécessaire à couvrir les frais du voyage. Elle avait dû, le cœur serré, se séparer de sa petite Mini. Elle n'avait pu s'envoler vers le Nouveau-Monde que le premier janvier. Curieuse façon de commencer l'année, songea-t-elle avec amertume.

Elle embrassa du regard la luxueuse chambre qui avait été réservée à son intention par Vicente Cardenosa. Certes, elle en appréciait le confort et les raffinements. Mais elle aurait préféré de beaucoup un établissement plus modeste, plus adapté à ses moyens. L'achat du billet d'avion avait englouti la presque totalité du montant de la vente de la petite voiture. D'ores et déjà, les quelques billets qui subsistaient encore dans sa bourse ne pouvaient régler sa note d'hôtel.

Plus Vicente Cardenosa tardait, plus la situation s'aggravait, devenait critique. L'inquiétude de la jeune fille augmentait d'heure en heure, et, progressivement, se transformait en colère.

Avec Bella, Vicente Cardenosa avait défini par téléphone les modalités pratiques de son séjour dans la capitale uruguayenne. Très pris par ses affaires, il avait craint de ne pas se trouver à Montevideo le jour de son atterrissage. Il avait donc désigné un hôtel, où une chambre serait retenue à son nom. Elle pourrait l'y attendre en toute tranquillité. Il viendrait la chercher dès qu'il en aurait le loisir.

Elle éprouvait un sentiment d'humiliation d'être ainsi délaissée, comme un colis que personne ne songerait à réclamer. Elle bouillonnait intérieurement. Un souffle de révolte s'empara d'elle. Son estomac lui rappelait impérieusement qu'elle avait seulement grignoté depuis le matin. Pourquoi ne descendrait-elle pas dîner dans la vaste salle à manger du rez-de-chaussée ? M. Cardenosa croyait-il la tenir enchaînée dans la cage dorée de cette pièce richement aménagée ? Elle contempla une nouvelle fois le paysage sublime qu'elle découvrait de sa fenêtre : toute la baie de Montevideo s'étendait à ses pieds. S'il imaginait qu'elle languirait là, dans l'espoir de sa venue, il se trompait.

Après un repas léger, elle se sentit mieux. Elle admira les couples élégants qui occupaient presque toutes les tables. Son accès de rébellion s'évanouissait ; déjà, l'anxiété reprenait le dessus. Seule dans ce pays dont elle ne comprenait la langue que grâce à de lointains souvenirs scolaires, qu'allait-elle devenir ? Son cœur se serra en pensant à Bella. Comme elle aurait aimé se trouver près d'elle, entendre sa voix déterminée et rieuse. Elle se souvint avec émotion de la beauté de sa sœur le jour de son mariage ; elle était resplendissante. Poussant un profond soupir de résignation, elle se leva pour regagner sa chambre. Quand elle passa devant la réception, la jeune fille qui y siégeait lui adressa un sourire charmant. Elle s'arrêta.

— Pouvez-vous vous charger d'envoyer un télégramme ? demanda-t-elle impulsivement.

— Certainement, Miss. Je veillerai personnellement à ce qu'il parvienne à son destinataire dans les plus brefs délais.

Regina demeura immobile, encore indécise, puis s'avança vers le bureau. Elle réfléchit quelques instants à la façon dont elle allait rédiger son message. Elle fut tentée d'adopter une formule brillante et incisive, dont l'ironie le mettrait dans l'embarras. Mais elle renonça à toute insolence, retenue par l'hypothèse que le grand-père de Vicente assisterait peut-être à l'ouverture de la dépêche. La sauvegarde de Bella exigeait qu'elle jouât son rôle de fiancée aimante jusqu'à la mort du vieillard.

Elle griffonna enfin quelques mots et les tendit à la réceptionniste.

— Où dois-je l'envoyer ? s'enquit celle-ci.

Regina fouilla en toute hâte dans le désordre de son sac à la recherche de l'adresse que Bella lui avait confiée avant son départ.

— Señor Vicente Cardenosa, Estancia de Cardenosa, Cerros de Cielo, lança-t-elle, assez fière de son accent.

Elle savoura au passage le nom : Cerros de Cielo. Elle se demanda si la réalité serait à la hauteur de cette appellation si poétique. Elle traduisit pour elle-même : « Collines Célestes ». La réceptionniste, le stylo levé, le sourcil interrogateur, patientait.

— Durazno, compléta Regina en sortant de sa rêverie.

Le lendemain matin, après une nuit aussi agitée que les précédentes, elle fut saisie à nouveau par des désirs de révolte. Maintes fois, au cours de son insomnie, elle avait soupesé chacun des mots qu'elle avait libellés. Convenaient-ils à la situation ? Vicente Cardenosa ne trouverait-il pas abusif son : « Mon chéri, ton absence devient insupportable. Rejoins-moi dès que possible. » Son message provoquerait-il l'effet escompté ?

Le désespoir la gagna soudain. Quand Vicente condescendrait-il enfin à se présenter devant elle ? Il semblait décidément fort peu pressé de la rencontrer. Si elle n'avait pas entendu elle-même sa voix au téléphone, si elle n'avait pas observé de ses propres yeux la terreur de Bella, elle en serait arrivée à douter de son existence ! Eh bien, qu'il aille au diable ! Elle ne passerait pas une journée de plus à guetter un appel de sa part...

Elle se dirigea d'un pas résolu vers la réception où s'affairait une nouvelle jeune fille.

— Je dois sortir. Si mon fiancé demande à me parler, voulez-vous être assez aimable pour l'en informer, et pour prendre un message éventuel ?

Tournant le dos au hall luxueux rafraîchi par l'air conditionné, elle sortit dans les rues de Montevideo, écrasées de chaleur.

Jusque-là, elle n'avait encore effectué que de très courtes incursions hors de l'hôtel. Cette fois, elle était décidée à prendre tout son temps, à jouir du rare privilège de découvrir une ville inconnue et pittoresque. Quelle sottise d'occuper ses journées à faire les cent pas dans une chambre, lorsqu'on se trouve depuis quatre jours dans un lieu aussi fascinant que Montevideo !

Elle admira longuement la statue équestre, en bronze, du héros national, José Gervasio Argigas, érigée sur la Plaza Independencia. De là, elle parcourut l'Avenido 18 de Julio jusqu'à la Plaza Cagancha, flânant devant les vitrines regorgeant de merveilles, avec un petit pincement au cœur à la pensée de la maigreur de sa bourse. Elle erra nonchalamment parmi les larges avenues où allait et venait une foule colorée, parlant haut et d'un ton chantant.

Elle n'avait pas l'intention de regagner son hôtel avant le milieu de l'après-midi. Vicente Cardenosa devrait attendre, à son tour, à supposer qu'il ait enfin daigné se souvenir de son existence.

A midi, sa détermination inébranlable avait tout à fait disparu, vaincue par la chaleur et l'angoisse. Elle brûlait de savoir si Vicente avait laissé un message pour elle. Elle pressa donc le pas, coupant au plus court, pour arriver le plus vite possible. L'esprit tout entier à ses préoccupations, elle reçut un choc quand, levant les yeux, elle découvrit la célèbre statue du Gaucho de Zorrillo de San Martin. Elle en avait entendu parler plusieurs fois, sans y accorder beaucoup d'intérêt. Mais la force qui se dégageait de la sculpture la frappa. Curieusement, elle éprouva une sorte de frayeur à la vue de cette homme menaçant. Elle se trouva immédiatement ridicule et tenta de se raisonner, mais elle ne parvint pas pour autant à apprécier la beauté de l'œuvre. Avoir peur d'un personnage de bronze !

Elle accéléra encore l'allure, comme si le cavalier allait se jeter à sa poursuite... Quelle sotte elle faisait ! Regina poussa un soupir de soulagement lorsqu'elle parvint enfin dans le hall de l'hôtel. La réception semblait prise d'assaut par une horde de clients pressés qui réclamaient des informations diverses. Il lui fut impossible de parvenir jusqu'au bureau. Elle se résigna donc à monter d'abord dans sa chambre pour effacer les traces de sa longue marche sous une douche froide. Elle prit l'ascenseur, fit jouer la clef dans la serrure, et ouvrit la porte.

Elle retint à grand-peine un cri d'épouvante.

Un homme était assis là, dans un fauteuil qu'il avait ostensiblement tourné vers l'entrée de la pièce, la tête et les épaules inclinées vers l'arrière, les jambes allongées devant lui. Cette attitude de détente était cependant démentie par le regard aigu qu'il fixait sur elle. La couleur des yeux, d'un bleu extraordinaire, formait un contraste surprenant avec le reste du visage au nez droit, à la bouche ferme, au menton carré, à la peau très mate. Son apparente immobilité évoquait le repos d'un félin : on le sentait prêt à bondir d'un instant à l'autre sur une victime apeurée avec qui il jouerait avec cruauté... La crainte glaça le cœur de la jeune fille. Elle réprima un violent désir de s'enfuir, et, grâce à un effort surhumain, parvint à se maîtriser. Ce fut d'un ton froid et apparemment calme qu'elle interrogea :

— Pouvez-vous m'expliquer ce que vous faites dans ma chambre ?

Elle s'était exprimée spontanément en anglais. Mais la lueur d'étonnement qui passa dans le regard d'acier indiqua que l'inconnu comprenait aisément cette langue.

— « Votre » chambre ? En êtes-vous l'unique occupante ?

Cette façon particulière de prononcer les « r » réveilla un écho dans la mémoire de Regina. Un soupçon se présenta à son esprit. Vicente Cardenosa serait-il venu en personne répondre à l'appel de son télégramme ? Un tel homme n'était-il pas capable de tout ?

— Oui, affirma-t-elle, s'efforçant de garder son sang-froid.

Bella lui avait décrit la beauté de l'Uruguayen, et le pouvoir de séduction qui émanait de lui. Mais elle n'avait pas mentionné l'envoûtante couleur des yeux, ce bleu fascinant où l'on pouvait se noyer en quelques secondes...

— Alors, Señorita...

La voix s'était durcie, et aucun doute sur l'identité de l'intrus ne demeura.

— ... Verriez-vous un inconvénient à me révéler votre nom ?

— Je m'appelle Regina Barrington, et...

Profitant des derniers éclats de sa témérité, elle lança :

— ... Vous êtes, je suppose, Vicente Cardenosa, mon fiancé temporaire ?

Sans un mot, il se leva et s'approcha d'elle, la détaillant de haut en bas, depuis la masse blonde des cheveux qui encadrait le visage, jusqu'à ses jambes longues et fines.

Regina rougit sous l'insolence de cet examen. Il semblait détenir le pouvoir de briser en lambeaux la façade d'impassibilité de la jeune fille.

— Ainsi donc, remarqua-t-il avec une tranquille arrogance, voici la véritable Regina Barrington. J'ai accouru en toute hâte, à l'appel de celle qui se mourait de mon absence... N'ai-je pas droit à un baiser de bienvenue et de gratitude ? demanda-t-il brusquement, d'une voix railleuse.

Le ton cinglant fouetta la fierté de Regina qui redressa vivement la tête.

— Le contrat ne comporte aucune obligation de cette sorte, vous le savez parfaitement, rétorqua-t-elle avec force. J'ai rédigé mon message sous cette forme au cas où votre grand-père viendrait à le lire...

Vicente tressaillit imperceptiblement lorsqu'elle prononça le mot « grand-père », son visage s'assombrit, mais il se reprit aussitôt. Regina crut un instant que la fermeté dont elle avait fait preuve avait eu raison de son effronterie.

— Donnez-moi votre passeport, ordonna-t-il soudain péremptoirement, dissipant ses illusions.

— Mon passeport ?

— Je désire le voir.

Regina se pencha vers son sac, lui dissimulant ainsi son regard où il aurait pu lire des lueurs meurtrières. Peu s'en fallut qu'elle ne lui envoyât le papier demandé au visage, quand elle l'eût enfin trouvé. Vicente Cardenosa paraissait décidé à n'accorder sa confiance à aucune des deux sœurs Barrington... L'embarras et la honte qu'éprouvait Regina au souvenir de l'indélicatesse de Bella lui imposèrent silence durant l'inspection minutieuse que Vicente fit subir au document et à sa détentrice.

— Ainsi, Regina Barrington, vingt-deux ans, secrétaire, vous êtes venue contempler de vos pro pres yeux la poule aux œufs d'or ?

— La poule aux œufs d'or ? balbutia la jeune fille, effarée.

— Voudriez-vous me faire croire que vous vous trouvez ici dans un but totalement désintéressé ?

Décidément, cet homme possédait le pouvoir de déclencher en elle des réactions d'une violence qu'elle n'aurait jamais soupçonné de couver en elle auparavant. Ses yeux étincelèrent, et la douce Regina Barrington prit une voix de furie pour répliquer :

— Vous savez pertinemment pourquoi je suis ici. Vos insinuations malveillantes...

Surprise elle-même par l'intensité de sa colère, elle s'arrêta brusquement, et reprit avec plus de calme :

— Si ce n'était pas pour Bella...

— Bella porte le même nom que vous, coupa-t-il avec brutalité. Etes-vous parentes ?

— Pourquoi cette question ? Bella est ma sœur, vous ne l'ignorez pas.

Vicente Cardenosa secoua la tête lentement, en silence, en signe de dénégation.

— Pourtant, Bella vous a téléphoné pour vous prévenir que je viendrais à sa place, n'est-ce pas ?

De nouveau, un léger mouvement négatif de Vicente...

— Voyons, c'est impossible ! s'écria-t-elle, repoussant l'affreux soupçon qui germait dans son esprit. Vous lui avez répondu que vous m'attendiez avec impatience, poursuivit-elle d'une voix plus faible, mal assurée.

— Votre sœur vous aurait-elle menti ? railla-t-il, laissant entendre qu'il connaissait par expérience la duplicité de Bella, et suggérant que Regina n'avait sans doute rien à lui envier dans ce domaine.

— Non. Bella n'aurait pas pu... affirma celle-ci, refusant l'évidence.

Mais sa certitude faiblissait. Elle baissa la tête, accablée. Vicente la fixait sardoniquement ; il se jouait de son désarroi. Puis il se mit à l'accuser avec véhémence.

— Votre sœur ne vous a pas trompée, en effet. Elle vous a décrit les événements tels qu'ils se sont déroulés. Vous avez alors échafaudé ensemble un petit plan pour réussir à me soutirer encore quelque argent...

— Tout cela est complétement faux ! explosa Regina, rouge de confusion, brûlant d'envie de se jeter contre ce personnage immobile et froid qui la toisait avec morgue.

— Que faites-vous ici dans ce cas, à la place de Bella ?

Au comble de l'humiliation et du désespoir, Regina parvenait difficilement à ordonner ses arguments. Au lieu d'affirmer bien haut son indignation, elle trouva maladroitement refuge dans le sarcasme.

— Bella a épousé, la veille de Noël, M. James Usher. Celui-ci aurait sans doute eu quelque peine à accepter qu'elle se précipitât à un rendez-vous à l'autre bout du monde quelques jours plus tard, ne pensez-vous pas ?

Son ironie tomba à plat.

— Ah ! le mari trempe aussi dans l'affaire, intervint Vicente d'un air entendu.

Regina suffoqua. Pendant quatre interminables journées, elle avait attendu cet homme, elle avait espéré sa venue à chaque instant ; à présent il l'écrasait de son mépris, pour la traiter comme une misérable aventurière, pour proférer à l'égard de ses proches d'incroyables infamies...

— Non ! James ne sait rien. Il serait absolument horrifié s'il apprenait les agissements de Bella. Comme je l'ai été moi-même, d'ailleurs, ajouta-t-elle d'une voix brisée par les diverses émotions qui l'agitaient.

Cet aveu ne produisit aucun changement dans l'attitude de Vicente. Il restait de glace, parfaitement maître de lui, menant le jeu à son gré.

— C'est moi qui vous ai répondu au téléphone, la première fois, continua-t-elle, au bord des larmes. J'ai d'abord pensé à une plaisanterie. Puis Bella est rentrée et m'a révélé la vérité. Je ne désirais pas venir ici, oh non ! Et, à présent, je regrette amèrement de l'avoir fait.

— Vous avez donc décidé de prendre le prochain avion pour Londres ? interrogea-t-il, sarcastique.

Elle comprit soudain dans quelle terrible situation elle se trouvait. Où se procurerait-elle l'argent nécessaire à son retour ? La violente animosité que sa seule vue semblait avoir suscitée chez Vicente Cardenosa surpassait manifestement sa crainte d'une rechute de son grand-père. La fureur de Regina fit place à une angoisse indescriptible. Seule dans ce pays étranger, sans argent, sans aide, sans personne pour la secourir, où irait-elle ? Pâle, mais conservant un semblant de dignité, elle parvint à articuler quelques mots en guise d'adieu.

— Bella a eu tort d'agir ainsi, c'est indéniable. Je vous prie de ne pas lui en tenir rigueur. Mon seul but était de réparer sa faute, de régler sa dette, en quelque sorte...

Impassible, visiblement imperméable à toute émotion, il continuait à la fixer. Ne supportant plus la brûlure de ces yeux si bleus, elle se détourna, et contempla, au-delà de la vitre, l'immense baie, et la mer, indifférente à l'agitation des êtres humains.

— Je suis également désolée de ne pas représenter un substitut acceptable...

— Je ne me souviens pas avoir émis un tel jugement, remarqua-t-il lentement, comme absorbé dans ses pensées.

Reprenant espoir, elle balbutia :

— Vous... Qu'entendez-vous par là...

— Que pensent vos parents de ce voyage en Uruguay ?

Le soupçon s'étendait donc jusque-là... Aucun membre de sa famille ne serait épargné.

— Ils sont morts lorsque j'étais encore une enfant, le renseigna-t-elle, résignée, désormais indifférente à son dédain. J'ai été élevée par mes grands-parents.

Pour la première fois, une lueur d'intérêt passa dans le regard de Vicente.

— Sont-ils toujours en vie ?

Regina ne répondit pas tout de suite. Chaque fois qu'elle l'évoquait, le souvenir de ses grands-parents éveillait en elle une grande tendresse. Ils lui avaient prodigué affection et chaleur, sans ménager leur temps ni sur leur peine, tout au long de son jeune âge.

— Non. Grand-père est mort il y a quatre ans. Grand-mère, malgré son excellente santé, malgré nos soins et notre amour redoublés, ne lui a survécu que six mois.

Elle regretta immédiatement d'avoir manifesté son émotion : il y trouverait sans doute prétexte à moqueries. Il la regarda encore un instant en silence, puis annonça brusquement :

— Bien. Allons déjeuner maintenant. Ensuite, vous ferez vos bagages. Nous disposons de quelques heures avant le départ de l'avion.

— Je pars avec vous ? questionna-t-elle impulsivement.

Il se tourna vers elle, un sourire imperceptible au

coin des lèvres mais, cette fois, ce sourire n'était ni méprisant ni railleur.

— Oui, Miss Barrington. Oui, je vous emmène...

Elle mangea de bon appétit. Elle s'apprêtait à couronner le repas par une superbe tranche de gâteau, quand elle s'arrêta soudain, la fourchette levée.

— Que se passe-t-il ? s'enquit son compagnon, surpris.

— Je n'ai plus faim, prétexta-t-elle en repoussant son assiette. Il... il me faut passer à la réception avant notre départ...

Comme il la considérait sans comprendre, elle continua :

— J'ai vendu ma voiture pour payer mon billet d'avion. Cet achat a épuisé toutes mes économies. Je... Je crains de ne pouvoir régler la totalité de ma note d'hôtel..., avoua-t-elle enfin piteusement.

Quelques instants de lourd silence s'écoulèrent.

— C'est moi qui ai retenu cette chambre, jeta-t-il enfin, c'est moi qui en réglerai la note, mi querida.

Elle ne put réprimer un soupir de soulagement, mais elle aurait préféré qu'il réservât ces appellations de tendresse pour les moments où son grand-père serait présent ; elle se promit toutefois d'attendre des circonstances plus favorables pour lui en faire la remarque.

Un éclair d'amusement traversa un instant le visage de Vicente, comme s'il devinait les pensées de la jeune fille.

— Détendez-vous, Miss Barrington, et reposez-vous sur moi. Désormais, je m'occupe de tout.

Elle se garda bien d'émettre des objections. Pour l'instant, elle devait s'incliner. Elle se leva, et monta dans sa chambre pour se préparer au voyage.

Vicente fut peu loquace durant le court trajet en avion, de l'aéroport de Carrasco jusqu'à Durazno. A l'arrivée, une luxueuse Maserati les attendait. Etait-ce la chaleur, les tensions accumulées au cours de ces derniers jours, la perspective de nouvelles épreuves très bientôt ? Regina se sentit soudain épuisée. Elle s'installa avec plaisir dans les sièges de cuir odorant du splendide véhicule. Tandis que Vicente les conduisait avec une rapidité frôlant l'imprudence vers leur destination, elle l'observa à la dérobée, entre ses paupières à demi closes. Pas un muscle de son visage ne bougeait tandis qu'il négociait de difficiles virages. Elle ne put s'empêcher d'admirer la précision de ses mouvements et la souplesse de son corps mince mais puissant. Il se dégageait de lui une impression de force et de sensualité qui la fit frémir. Un sentiment étrange s'empara d'elle à la pensée que ce superbe et redoutable inconnu serait son « fiancé » pendant quelques semaines.

Elle hasarda une question au sujet de la santé de son grand-père, mais le regretta aussitôt.

— Ne faites pas semblant d'être inquiète, lança-t-il avec mépris.

— Vais-je rencontrer vos parents ?

— Mes parents sont morts, noyés, au cours d'un accident de navigation. J'ai, comme vous, été élevé par mes grands-parents.

Le ton signifiait clairement qu'une autre interrogation serait malvenue. Elle prit donc le parti de se taire jusqu'à leur arrivée.

La voiture escalada une pente assez raide et déboucha devant une vaste habitation, agrémentée d'une véranda soutenue par de robustes piliers. A ses pieds, s'étendaient des parterres de fleurs multicolores, tranchant sur la blancheur de la façade.

Regina contempla avec appréhension le décor dans lequel elle devrait interpréter son rôle de femme amoureuse et comblée. Elle souhaita vivement que la représentation ne se terminât pas en tragédie. Vicente interrompit ces réflexions amères en lui ouvrant la portière du véhicule et en l'invitant à descendre.

— Bienvenue à l'Estancia de Cardenosa.

Il l'entraîna vers l'entrée de la demeure. Une femme d'environ cinquante ans, essuyant ses mains à son tablier, et déversant un flot d'exclamations en espagnol, vint à leur rencontre. Elle était suivie par une jeune fille qui paraissait avoir dix-huit ans. Vicente arrêta le babillage d'un geste de la main et prononça très rapidement quelques phrases dans sa langue natale. Il semblait être question d'excuses et de téléphone. Regina n'eut pas le temps de s'interroger plus avant, car Vicente entourait ses épaules de son bras.

— *Querida,* je te présente Maria qui s'occupe de tout à la maison depuis toujours.

Regina tendit la main.

— *Mucho gusto,* Maria, s'exclama-t-elle, rassemblant les bribes d'espagnol qui subsistaient encore en sa mémoire.

— Vous parlez notre langue ? questionna étourdiment Vicente.

Regina espéra que Maria n'avait pas compris la phrase prononcée en anglais. Elle aurait sans doute trouvé cette ignorance surprenante.

— Un peu, répondit-elle rapidement. Je l'ai apprise à l'école, mais je ne l'ai pas pratiquée depuis longtemps.

Vicente se tourna ensuite vers Juana, la plus jeune des deux femmes. Elle était affectée à son service, lui annonça-t-il. Regina sourit et lui tendit la main. Maria s'adressa alors à Vicente. Regina saisit distinctement ses paroles, cette fois : il était attendu par une certaine Señora Gomez, qui désirait le voir. Vicente hésita quelques secondes. Il jeta un coup d'œil rapide sur la jeune fille, qu'il tenait encore par les épaules, puis ôtant son bras, donna quelques brèves instructions à Juana.

— Suivez votre nouveau chaperon, plaisanta-t-il, d'un ton dont la douceur était probablement due à la présence de témoins. Elle vous montrera votre chambre. Nous avons l'habitude de dîner tard. Reposez-vous jusque-là.

Dépitée, Regina admit aisément que la fatigue des voyages et les nuits d'insomnie successives n'avaient sans doute pas contribué à mettre sa beauté en valeur. Vicente avait raison d'attendre qu'elle fût remise pour la présenter à son entourage.

Juana la conduisit jusqu'à ses appartements. Jamais auparavant, Regina n'avait bénéficié des services d'une domestique. Pourtant, elle accepta avec naturel l'aide de la jeune fille pour se déshabiller et préparer le lit. Rien ne pouvait plus la surprendre dans cette situation elle-même si singulière.

Le sommeil s'empara d'elle presque immédiatement. C'est à peine si elle entendit Juana quitter la chambre sur la pointe des pieds et refermer doucement la porte derrière elle.

4

Regina souleva les paupières et s'étira longuement tandis que les souvenirs affluaient à son esprit. Elle parcourut lentement les objets qui l'entouraient. Quelle curieuse sensation de se réveiller ainsi, à des milliers de kilomètres de Londres, loin des siens et des lieux où s'était déroulée toute son existence... Elle se retrouvait brusquement dans le silence et la chaleur moite d'une province reculée de l'Uruguay, alors que la neige tombait sur la capitale anglaise, et que les moteurs des voitures y rugissaient. Et, situation plus étrange encore, elle était maintenant la fiancée du maître de l'Estancia de Cardenosa, située au sein de Cerros de Cielo, les Collines Célestes...

Clive... Que faisait-il en ce moment ? Avait-il éprouvé beaucoup de chagrin lorsqu'il avait constaté son départ ? Souffrait-il de son absence ? Quelle force aveugle et implacable l'avait-elle séparée de l'homme qu'elle aimait, pour la lier à un inconnu ? Clive ne possédait pas d'estancia, ni de Maserati ni même un regard bleu intense et envoûtant, mais sa voix était si douce, ses mains si tendres...

Elle sauta sur ses pieds. Au lieu de rêver à Clive, elle ferait mieux de tirer un trait définitif sur son passé. Elle ne pouvait plus, désormais, envisager son avenir avec lui. Il l'avait trahie et jamais elle ne pourrait briser un mariage. Elle secoua la tête, impuissante à chasser ces images importunes. Elle devrait lutter jour après jour pour les vaincre. Mais elle y parviendrait, elle y était décidée.

Pour se soustraire à ces idées envahissantes, elle examina avec attention la chambre qui lui avait été attribuée. C'était une pièce aux dimensions harmonieuses, dont les meubles, peu nombreux mais très beaux, se détachaient sur des murs simplement blanchis à la chaux. Les couleurs des rideaux, du tapis, et du couvre-lit se dégradaient en un subtil camaïeu, reposant pour les yeux.

Regina avait faim : l'heure du dîner devait approcher. Elle se dirigea vers la salle de bains attenante, pour prendre une douche fraîche et revêtir une longue jupe de coton avec son corsage assorti. Elle tenta de se composer devant le miroir le visage d'une femme éprise, mais elle n'obtint qu'un piètre résultat. Feindre l'amour pour Vicente n'allait pas être une tâche aisée...

Juana apparut soudain, toujours aussi silencieuse, comme si elle avait veillé tout ce temps à la porte, et lui indiqua le chemin de la salle à manger. Sur la longue table qui en occupait le milieu, un seul couvert était dressé. Elle dînerait donc en solitaire. Vicente semblait moins pressé de la présenter à son grand-père qu'il ne le prétendait. Mais peut-être le vieillard, trop faible pour se lever, prenait-il ses repas dans sa chambre ? Où se trouvait donc Vicente ?

Regina se perdait en conjectures quand Maria fit irruption dans la pièce, portant une soupière remplie d'une préparation délicieuse. Elle invita Regina à s'asseoir et la servit. Tandis que celle-ci apaisait son appétit, elle resta debout, à quelque distance, et la contempla d'un air attendri.

— Avez-vous bien dormi ? demanda-t-elle soudain, en s'efforçant de prononcer lentement les mots espagnols.

— Parfaitement, hasarda Regina dans la même langue.

Maria hocha la tête pour signifier qu'elle avait bien compris. La jeune fille constata avec satisfaction que ses souvenirs scolaires n'avaient pas tous disparu. Elle découvrait que les serviteurs uruguayens ne connaissaient pas les barrières observées en Angleterre entre maîtres et domestiques. Maria, tout à fait à l'aise, et devinant le besoin de compagnie de la jeune fille, se rapprocha et commença à lui décrire la vie à l'estancia. Le sens de quelques phrases çà et là, échappait à Regina, mais elle saisissait l'essentiel du récit.

C'est ainsi qu'elle apprit la raison de ce dîner solitaire. Vicente, peu après l'avoir quittée, était parti au ranch Gomez, avec la Señora, et n'était pas encore revenu.

Maria semblait trouver naturel que son maître abandonnât sa fiancée dès le soir de son arrivée. Regina ne partageait pas ce point de vue. Sa colère se ranima contre cet homme discourtois. Elle songea avec amertume et une pointe d'humour que son rôle de Juliette allait devenir impossible à tenir si Roméo disparaissait dès le premier acte.

Soudain, une interrogation curieuse lui traversa l'esprit. Quel âge avait donc cette Señora Gomez ? Elle s'abstint de poser la question à Maria. Vicente avait préféré souper avec cette femme plutôt qu'avec elle. Il s'agissait probablement d'une liaison amoureuse... Mieux valait rester discrète.

Profitant d'un court silence de Maria, elle voulut s'informer de la santé du grand-père de Vicente. La stupéfaction inscrite sur le visage de son interlocutrice lui donna à penser qu'elle avait sans doute commis une erreur dans sa phrase espagnole.

— Le grand-père, comment va-t-il ? répéta-t-elle en articulant clairement chaque syllabe.

Maria la fixa interdite, et des larmes jaillirent de ses yeux.

Emue, Regina se reprocha d'avoir inconsidérément réveillé le chagrin de la fidèle domestique, visiblement très attachée à son vieux maître. Elle le savait proche de sa fin.

— Vous voulez dire la grand-mère, sans doute, corrigea Maria en essuyant ses joues avec le coin de son tablier. Elle reste prostrée, et refuse de manger. Mais il faut être patient. L'enterrement a eu lieu hier seulement.

Regina hocha la tête, perplexe. La langue espagnole recélait des difficultés inattendues. Elle avait probablement confondu les genres. Insister augmenterait encore la confusion. Elle décida prudemment de changer de sujet.

— Ma chambre me plaît beaucoup, remarqua-t-elle, je vous remercie de l'avoir préparée à mon intention.

Maria repoussa les remerciements d'un geste de la main.

— Je suis heureuse qu'elle soit à votre goût. J'ai tout de suite pensé à cette pièce lorsqu'on m'a annoncé votre arrivée, la première fois. Puis j'ai appris que les brouillards de Londres vous retardaient. Par la suite, Don Vicente m'a avertie que vous ne viendriez pas, tout en me recommandant de le cacher à Dona Eva.

Qui était Dona Eva? Dans son effort pour bien comprendre le récit de Maria, Regina ne trouva pas l'opportunité de s'en enquérir.

— A midi, aujourd'hui même, j'ai reçu un coup de téléphone, m'enjoignant de laisser là ce que j'étais en train de faire, et de tout aménager pour vous recevoir dignement.

Soudain, Maria constata que l'assiette de Regina se trouvait vide. Elle s'éclipsa et revint peu après, apportant un superbe gâteau.

— Don Vicente m'a demandé de le confectionner pour vous. C'est votre dessert préféré, paraît-il, expliqua-t-elle.

Cette délicate attention, paraissait la combler de joie.

Regina reconnut la pâtisserie, délicieusement enrobée de chocolat, qu'elle avait commandée au restaurant, à Montevideo. Il s'agissait vraisemblablement, de la part de Vicente, d'un rappel ironique de l'embarras qui l'avait saisie à la fin du repas, la privant de la dégustation de la savoureuse friandise. Une sourde irritation s'empara d'elle, mais elle s'efforça de la dissimuler à Maria. Elle lui exprima sa gratitude pour tous les soins dont elle l'entourait, et se montra désolée de lui procurer un tel surcroît de travail.

Un peu plus tard, allongée dans l'obscurité, elle repassa dans son esprit tous les événements des dernières heures. Elle s'interdit de penser à Clive. Le souvenir de Bella lui serra le cœur. Jamais auparavant, celle-ci ne lui avait menti, elle en était certaine. La profondeur de son désespoir l'avait égarée. Craignant que Vicente ne refusât la substitution, elle n'avait pas osé l'en avertir. Regina se proposa de lui écrire rapidement, pour la rassurer. Elle devait sans doute en ce moment, consciente de la situation difficile dans laquelle elle avait jeté sa cadette, éprouver une vive angoisse…

Une image lui revint en mémoire : elle se rappela le visage lisse et le regard candide avec lesquels Bella avait donné à James des explications au sujet du voyage de sa sœur en Uruguay. Celle-ci, avait-elle prétendu avec assurance, séduites par les descriptions enthousiastes de son aînée, désirait connaître ce pays à son tour. Elle utiliserait à cette fin la somme reçue lors de l'héritage dont elle avait elle-même bénéficié.

Pour la première fois, Regina se sentit effleurée par un doute concernant l'honnêteté de Bella.

Mais beaucoup d'autres faits nouveaux réclamaient son attention. Les interrogations bouillonnaient dans sa tête. Qui était Dona Eva ? Jamais elle n'avait entendu ce nom auparavant. S'agissait-il d'une autre liaison amoureuse de Vicente ? Séduisant comme il l'était, il devait collectionner les succès féminins. Les premiers mots qu'il lui avait adressés le montraient assez : « n'ai-je pas mérité un baiser ?... » S'il imaginait qu'elle aussi cèderait à son charme, il se trompait. Et s'il tentait d'abuser de la situation, de mener leurs « fiançailles » jusqu'à leur terme logique, elle possédait un atout de maître : elle le menacerait de tout dévoiler à son grand-père.

D'autres questions restaient sans réponses. Pourquoi Maria n'avait-elle été prévenue de sa venue que vers midi le jour même ?

Elle s'assit sur son lit, en proie à une vive agitation. Etait-ce son télégramme qui l'avait contraint à se rendre auprès d'elle, à Montevideo ? Son grand-père avait-il eu connaissance de la dépêche ? La nuit ne suffirait pas à résoudre toutes ces énigmes. Seul Vicente aurait pu lui en fournir la clef.

Elle secoua son oreiller avec rage, puis se résigna, s'allongea de nouveau et renonça à s'interroger en vain. Dans son demi-sommeil, pourtant, un mot de Maria lui revint en mémoire. De quel enterrement s'agissait-il ? Elle se retourna en soupirant. Elle refusait d'ajouter à ses propres préoccupations celle de la mort d'une personne inconnue et sans rapport avec sa situation présente.

Quand elle s'éveilla, un soleil brillant inondait la chambre. Elle se serait volontiers abandonnée au plaisir de commencer une journée aussi prometteuse si elle n'avait aperçu une silhouette à son chevet.

— Bonjour, ma chérie.

La voix moqueuse résonna comme une détonation dans l'intimité de la pièce. Elle n'eut pas le temps de protester ou de réagir. Déjà Vicente se penchait sur le lit et effleurait ses lèvres d'un baiser. Ses mains se posèrent sur les épaules nues, sous le voile fin de la chemise de nuit. Elle voulut s'échapper, se soulever, et, instinctivement, elle s'accrocha à lui pour le faire. Prenant ce geste pour une invite, Vicente resserra aussitôt son étreinte et reprit sa bouche plus longuement, plus profondément cette fois.

Elle se débattit avec force, parvint à le repousser. Ses yeux clairs étincelaient de fureur.

— Comment osez-vous… ? balbutia-t-elle, gardant sur ses lèvres l'empreinte brûlante du baiser qu'elle venait de subir.

Vicente ne paraissait nullement affecté par sa colère.

— Je n'ai pas su résister, expliqua-t-il calmement, en souriant. J'attendais votre réveil depuis un quart d'heure. Je contemplais votre beauté, la douceur de votre visage dans son sommeil, la blondeur de vos cheveux répandus sur l'oreiller, votre bouche vermeille, si tentante…

— Sortez ! l'interrompit violemment Regina. Sortez… Je vous interdis de franchir cette porte à nouveau.

— Sortir ? Est-ce ainsi que l'on parle à son *novio* ?

L'indignation la submergea. L'audace de cet individu dépassait les bornes.

— Je vous rappelle qu'il s'agit d'un arrangement provisoire, qui ne vous donne absolument pas le droit de m'embrasser quand bon vous semble, ni de pénétrer dans ma chambre sans que je vous y autorise.

— Le feu sous la glace, je le savais… murmura-t-il comme pour lui-même.

Il prenait manifestement un grand plaisir à l'observer. Il parcourait avec complaisance les signes de son désarroi, sa chevelure en désordre, ses yeux lançant des éclairs et la peau satinée de l'épaule, découverte dans l'ardeur de la lutte.

Regina remonta d'un geste brusque le drap jusqu'à son menton, furieuse d'être aussi légèrement vêtue face à lui qui arborait une chemise immaculée, une culotte de cheval noire et de hautes bottes de cuir fauve.

— A l'avenir, gardez vos démonstrations d'affection pour celles qui les réclament, jeta-t-elle avec hauteur. Sinon... je me verrais dans l'obligation...

Elle hésita, ne trouvant pas ses mots.

— Sinon?... Que feriez-vous, si ce désir s'emparait de moi à nouveau?

Ils s'affrontaient, avec la même dureté dans le regard, la même détermination.

— Si cela devait se reproduire, je n'hésiterais pas à tout révéler à votre grand-père...

La mâchoire de Vicente se serra, ses traits se figèrent, ses poings se fermèrent et il se détourna d'elle pour regarder en direction de la fenêtre. Pendant quelques instants, un lourd silence régna dans la pièce. Puis il parut se reprendre un peu, maîtriser l'émotion qui l'avait traversé. Il s'approcha de la jeune fille, dont le cœur se mit à battre plus fort. Elle comprit qu'elle était totalement à sa merci. Qui viendrait la secourir si elle appelait? Il était le maître ici. Il vit la peur dans ses yeux et s'assit au pied du lit, loin d'elle.

— Rassurez-vous. Mon but en venant dans cette chambre n'était pas la possession de ce corps ravissant que le drap cache si peu...

Son ton était parfaitement froid, contrastant avec les mots qu'ils prononçait.

— Quant à votre menace, vous oubliez que l'as bat le roi.

L'intense surprise de Regina se manifesta sur son visage. Cet homme lisait donc dans ses pensées à livre ouvert?

— L'as? balbutia-t-elle.

— Ne commettez pas d'imprudence, petite fille. Sinon Bella Usher et son mari pourraient bien entendre parler de moi...

— Non. Ne faites pas cela...

Elle avait crié, sans pouvoir se contrôler, sous l'effet de la panique qui l'avait saisie. Elle avait eu tort de se mesurer à cet homme redoutable.

— Laissons là ces jeux d'enfants, rétorqua-t-il avec dédain, abandonnant ce sujet trop insignifiant pour qu'il s'y attardât.

Il enfouit sa main dans la poche de sa chemise, en retira un écrin qu'il ouvrit. Il y prit un splendide solitaire monté en anneau. Il le lui tendit, et comme elle hésitait, encore mal remise de sa frayeur, il s'empara de sa main gauche, et passa la bague à son annulaire.

— Dois-je le porter quand nous irons voir votre grand-père ? interrogea-t-elle, ne pouvant s'empêcher d'admirer son doigt ainsi orné.

— Vous le porterez tout le temps, ordonna-t-il d'un ton sans réplique. Venons-en au but de ma visite. Je tiens à vous présenter mes excuses pour ne pas vous avoir rejointe plus tôt à Montevideo. Vous avez certainement vécu des heures difficiles, d'autant plus que vous étiez à court d'argent.

Le sang afflua aux joues de Regina. Il connaissait parfaitement la situation. Il était inutile de nier.

— Pourquoi m'avez-vous fait attendre ? s'enquit-elle.

Son intuition lui soufflait qu'il s'agissait sans doute d'un événement grave. La réponse la stupéfia.

— Pour une raison de la plus haute importance : vous êtes arrivée en Uruguay le jour de la mort de mon grand-père...

Elle le fixa, incrédule, médusée, incapable d'articuler une phrase cohérente. Son cerveau refusait de fonctionner. Des souvenirs pénibles concernant son propre grand-père revinrent à son esprit. Ses yeux se remplirent de larmes, et elle murmura :

— Oh Vicente ! Je suis désolée...

Puis, mesurant enfin la portée des paroles qu'il venait de prononcer, elle demanda aussitôt :

— Mais alors, pourquoi suis-je ici ?

Vicente semblait absent : il ne paraissait même pas l'avoir entendue. Il regardait ailleurs, le visage douloureux.

— Ma grand-mère se trouve dans un état critique, comme vous pouvez l'imaginer, continua-t-il enfin. Elle s'abandonne totalement à son chagrin.

Ainsi, tout s'expliquait. La conversation avec Maria s'éclairait enfin.

— Maria m'a parlé de Dona Eva. Est-ce votre grand-mère ?

Il hocha la tête affirmativement.

— Elle est anglaise, comme vous. Vous représenterez une grande source de réconfort pour elle. Mon grand-père et elle ne faisaient qu'un : ils s'aimaient profondément. Une seule pensée la console un peu dans son désespoir : savoir que son cher Roberto est parti heureux.

— Parce qu'il nous croyait fiancés ?

— Oui, répondit-il brièvement.

Elle eut un regard sur sa main gauche, où le diamant captait les reflets du soleil pénétrant à flots par la fenêtre.

— C'est pour Dona Eva que vous souhaitez continuer à jouer cette comédie ?

Il se retourna vers elle.

— Mon grand-père a connu une fin paisible parce qu'il attendait avec joie et impatience la venue de ma future épouse. *Abuela* partage cette impatience. Elle tient beaucoup à vous rencontrer...

Regina se souvint de ses efforts, et de ceux de Bella, pour tenter d'alléger un peu la douleur de sa propre grand-mère. *Abuela*... Aurait-elle le cœur d'aggraver celle de cette vieille dame ?

Cependant, une objection se présenta à son esprit.

— Combien... Combien de temps ces nouvelles...

fiançailles devront-elles durer ? questionna-t-elle, embarrassée.

Elle souhaitait vivement que Dona Eva survécût longtemps à son époux, mais elle n'envisageait pas de prolonger indéfiniment son séjour en Uruguay.

— *Abuela* a quatre-vingts ans. Vous verrez vous-même combien elle est frêle. L'amour de mes grands-parents l'un pour l'autre était, je suppose, très semblable à celui que se portaient les vôtres, poursui-vit-il, attentif à ses réactions.

— Ma grand-mère n'a pas supporté longtemps d'être séparée du compagnon de toute sa vie, conclut Regina, le cœur serré.

Il restait peu à ajouter après cela. Jamais elle ne pourrait se résoudre à refuser d'aider cette aïeule inconnue, dût-elle passer toute son existence à regretter sa décision.

— Quand la verrai-je ? demanda-t-elle, s'efforçant de dissimuler son émotion.

Le visage de Vicente s'adoucit aussitôt, et elle crut percevoir une lueur d'attendrissement dans ses yeux habituellement si froids.

— J'ai prévenu Ana, la femme de chambre d'*Abuela,* que nous lui rendrions visite à onze heures. Il me reste quelques problèmes à régler pour l'instant. Serez-vous prête ?

— Bien sûr. Votre grand-mère vit-elle ici ?

— Pour le moment. Quand elle aura repris quelques forces, elle désirera peut-être regagner sa propre maison, qui n'est pas très éloignée de l'estancia. Je dois vous quitter maintenant...

Quand Vicente eut refermé la porte derrière lui, Regina se dirigea vers la salle de bains. Elle prit une douche, se coiffa, et revêtit une de ses robes préfé-rées, couleur café. Elle s'attabla ensuite devant un petit déjeuner copieux, tout en essayant de faire le point.

Elle se promit de peser ses moindres paroles en

présence de la vieille dame. Celle-ci était anglaise, et rien ne lui échapperait. Aucune maladresse ne pourrait être mise sur le compte des difficultés linguistiques. Vicente savait susciter en elle des réactions d'une violence inconnue jusqu'alors. Il lui faudrait donc demeurer parfaitement maîtresse d'elle-même, se méfier de ses impulsions.

Il ne restait que quelques minutes avant l'heure fatidique. Elle regarda par la fenêtre les pelouses d'un vert éclatant comme l'émeraude, où des fleurs de toutes formes et de toutes couleurs composaient des variations d'une grande beauté. Comme elle aurait aimé se promener parmi ces magnifiques parterres plutôt que d'affronter la prochaine entrevue !

Lorsque la porte de sa chambre s'ouvrit, Regina retint une remarque sarcastique au sujet des usages « désuets » consistant à frapper avant d'entrer ! Le moment était mal choisi. Elle aurait besoin de toutes ses forces. Mieux valait ne pas les gaspiller en querelles mineures.

Vicente avait changé de tenue ; il portait maintenant, avec l'aisance un peu hautaine qui lui était habituelle, un costume gris perle qui soulignait sa peau mate. Il ne fit aucune remarque à propos de la robe de la jeune fille, mais il en nota chaque détail. Il ne prononça qu'un seul mot, en espagnol :

— *Venga...*

5

La pièce où se tenait Dona Eva était fraîche et sombre. Malgré la faible lumière, Regina fut immédiatement saisie par le bleu intense des yeux qui observaient son entrée. Les années n'avaient pas atténué l'éclat de leur couleur. Ainsi, le mystère était éclairci : Vicente avait hérité de sa grand-mère son regard si particulier.

Celui-ci s'approcha de la vieille dame en tenant Regina par la main.

— *Abuela,* commença-t-il d'une voix basse et d'une surprenante douceur, permets-moi de te présenter celle qui va devenir ta petite-fille.

Regina fronça imperceptiblement les sourcils. La tournure de la phrase donnait à la situation un aspect définitif et irrévocable. Elle aurait préféré une formulation plus vague. Mais, déjà, Vicente continuait :

— Chérie, voici ma grand-mère...

Avant que Regina ait pu l'en empêcher, Dona Eva, toute menue dans sa robe noire, se leva de son siège, et tendit les bras. Sans réfléchir ni hésiter, Regina s'avança. Pressée contre cette silhouette si mince, si fragile, elle se sentit fondre de tendresse. La joue qui effleurait la sienne était veloutée et une délicieuse odeur de violette s'en dégageait.

— Je suis si heureuse de vous connaître enfin...

Elle se recula de deux pas et contempla la jeune fille en souriant.

— Ton grand-père aurait approuvé ton choix, Vicente.

Elle se laissa retomber dans son fauteuil, et ses yeux s'emplirent de larmes à l'évocation de son mari disparu. Le cœur de Regina se serra. Elle chercha des mots d'apaisement, mais Dona Eva la devança :

— Vous avez rencontré le grand-père de Vicente, n'est-ce pas ?

Regina se souvint que Bella avait en effet rendu visite au vieil homme à l'hôpital, mais elle se trouva soudain dans l'incapacité totale de mentir.

— J'ai éprouvé beaucoup de peine quand Vicente m'a appris la terrible nouvelle, esquiva-t-elle.

Vicente intervint et lui suggéra de s'asseoir. Son visage et sa voix étaient ceux d'un fiancé amoureux et attentif au bien-être de celle qu'il aime. Regina s'efforça de se mettre au diapason, et elle y réussit probablement car elle perçut un étonnement fugace chez Vicente. Il paraissait surpris de lui voir jouer son rôle aussi bien. Qu'imaginait-il ? Qu'elle était un monstre ? La croyait-il capable d'infliger un nouveau choc à cette vieille dame si fragile et si émouvante ?

Ana entra dans le salon où ils étaient réunis, apportant le café, puis elle s'éclipsa sans bruit. Les deux femmes se mirent à parler de Londres. Dona Eva voulait connaître tous les changements intervenus depuis son dernier voyage. Elle poussait de petites exclamations de stupéfaction ponctuant le récit de Regina. Elle évoqua le brouillard de la capitale anglaise qu'elle avait tant redouté au temps où elle y demeurait. La conversation se prolongea ; des sujets plus divers furent abordés. Regina, peu à peu, se détendait. L'entrevue se révélait moins éprouvante qu'elle ne l'avait prévu. Soudain, le visage de Dona Eva s'éclaira :

— Maintenant, déclara-t-elle avec un large sourire, son regard englobant Regina et Vicente dans la même tendresse, parlons plutôt de l'avenir...

Regina, aussitôt, se remit sur ses gardes, devinant ce qui allait suivre.

— Roberto et moi avons vécu tant d'années ensemble ! Tant d'années au cours desquelles nous avons amassé des souvenirs en grand nombre... Désormais, c'est votre tour. Vicente m'a fait part ce matin de votre décision de vous unir pour toujours le vingt-quatre janvier. Vous m'en voyez ravie. Je tiens à vous en féliciter.

— Le vingt-quatre janvier !

Elle n'avait pas pu retenir son exclamation. Aussitôt, Vicente bondit de son fauteuil, l'entoura de ses bras, et, cachant son visage à sa grand-mère, il se pencha sur elle en murmurant avec prévenance :

— Vous êtes toujours épuisée par votre voyage, n'est-ce pas, *querida*? suggéra-t-il. Vous souvenez-vous de m'avoir avoué que ces trois semaines seraient les plus longues de votre vie ?

— Je... Je... balbutia-t-elle, impuissante à surmonter le choc qu'elle avait reçu.

Dans sa confusion, elle revit la silhouette amaigrie de Dona Eva. La vieille dame n'était plus retenue à la vie que par un fil très mince. Il casserait à la première émotion violente. Seul un cœur de pierre aurait pu lui infliger le moindre tourment.

— Je... Je ne pensais pas que vous en parleriez si vite à votre grand-mère, mon chéri, précisa-t-elle. Je suis désolée, Dona Eva. Bien sûr, comme l'a révélé Vicente, j'attends ce mariage avec la plus grande impatience. Cependant, j'ai craint que vous ne jugiez cette date trop proche de...

Dona Eva considéra sa future petite-fille avec attendrissement.

— Soyez rassurée, mon enfant. Je comprends parfaitement votre hâte. J'aimerais que vous m'appeliez *Abuela,* comme Vicente.

Elle examina avec une grande fierté la haute taille et la belle allure de ce dernier. Elle se souvint du petit garçon qu'il avait été, qu'elle avait consolé dans ses bras, autrefois, protégé jour après jour.

— Vicente a fait de son grand-père le plus heureux des hommes, quand il lui a communiqué son intention d'épouser une Anglaise. Grâce à cette nouvelle, Roberto est mort en sachant que son vœu le plus cher se réaliserait. Il approuverait entièrement la hâte de Vicente.

Le piège s'était refermé. La jeune fille parvint à esquisser un pauvre sourire. Alors, l'homme dont elle serait l'épouse avant trois semaines si elle ne trouvait pas un moyen de lui échapper, se leva et s'approcha de la vieille dame.

— Tu dois te sentir fatiguée, maintenant, *Abuela*. Il faut ménager tes forces, conseilla-t-il en embrassant la joue qu'elle lui tendait. Nous allons te quitter. Nous reviendrons plus tard.

Il partit à la recherche d'Ana, laissant un instant les deux femmes face à face. Dona Eva prit aussitôt la parole, au grand soulagement de la jeune fille.

— J'ai l'habitude de faire une petite sieste dans l'après-midi. Ensuite, vers quatre heures, si vous êtes libre, vous pourriez prendre le thé avec moi, Regina ? Je peux vous appeler Regina, n'est-ce pas ?

Quel prétexte aurait pu invoquer celle-ci pour refuser ? Elle accepta l'invitation, souhaitant vivement qu'un événement intervienne d'ici-là pour la dispenser de cette entrevue.

Vicente revint et entoura ses épaules de son bras.

— Etes-vous prête, chérie ?

Comme elle aurait aimé faire disparaître ce sourire éclatant par une gifle retentissante. Toutefois, elle s'exhorta intérieurement à la patience. Elle salua Dona Eva et suivit Vicente.

Mais, dès qu'ils se furent un peu éloignés des appartements de la vieille dame, elle se dégagea brutalement de son étreinte.

— Ne me touchez pas ! lança-t-elle avec violence. Ne me touchez plus jamais.

— Cela risque de s'avérer quelque peu difficile...

Le laconisme de la réponse et la parfaite tranquillité dont il faisait preuve portèrent l'exaspération de Regina à son comble. Elle se sentait comme une poudrière que la moindre étincelle pourrait faire exploser.

Vicente reprit, toujours calme et détaché :

— J'espère que vous voudrez bien m'excuser. J'ai quelques affaires urgentes à régler à mon bureau.

Et, sans plus attendre, après s'être légèrement incliné devant elle, il se dirigea vers la sortie et l'y abandonna. Telle une statue de sel, pétrifiée par son incroyable impudence, Regina fulminait. Comme il allait disparaître au coin du couloir, elle eut un sursaut de révolte.

— Attendez un instant ! cria-t-elle.

Elle fut elle-même surprise par le ton de sa voix qu'elle reconnut à peine.

Il s'arrêta immédiatement et se retourna. Prête à bondir sur lui, elle guetta sur son visage une trace d'ironie mais n'en trouva aucune, il semblait plutôt légèrement réprobateur.

— J'aimerais vous parler, affirma-t-elle, un peu adoucie. Immédiatement.

Il l'observa en silence quelques instants.

— Si vous avez l'intention de crier comme...

Il s'interrompit pour chercher l'expression correcte en anglais, sans succès apparemment car il poursuivit :

— Comme vous venez de le faire, mieux vaut aller dans mon bureau.

Sans se soucier de son avis, il tourna les talons et partit à grands pas. Elle le suivit presque en courant, ne voulant pas se laisser distancer. Il lui ouvrit la porte et s'effaça devant elle, puis referma soigneusement derrière eux. Une fois de plus, la jeune fille était entièrement à sa merci. Cette pensée l'effleura, mais sa rage fut la plus forte.

— Que signifie ce projet de mariage pour le vingt-quatre janvier ? Pourquoi avez-vous annoncé cela à votre grand-mère ? J'ai droit à quelques explications, il me semble ? Vous savez pourtant parfaitement que je ne vous épouserai sous aucun prétexte. Ne nourrissez aucun espoir à ce sujet.

Il repoussa quelques papiers qui encombraient l'imposant bureau trônant au milieu de la pièce, et se jucha dessus. Il croisa les bras, parut attendre qu'elle se consumât elle-même au feu de sa propre colère. Il ne fit pas la moindre tentative pour se justifier.

— Pensez-vous vous tirer d'embarras par un silence méprisant ? insista-t-elle, les joues rouges et le souffle court. Quel joli mari vous feriez, en effet, railla-t-elle, pour le pousser à bout. Vous n'avez même pas été capable d'attendre un seul jour avant d'aller rejoindre cette... cette Señora Gomez.

Un sourire apparut sur le visage de Vicente, qui se transforma bientôt en un énorme éclat de rire. Il renversa la tête en arrière pour rire plus à son aise, et réussit à hoqueter entre deux sursauts :

— Vous êtes jalouse, ma chère... Vous êtes jalouse de la Señora Gomez, sans l'avoir jamais vue...

— C'est faux ! se défendit-elle, ulcérée. Votre vanité vous entraîne dans des hypothèses ridicules. Je tenais simplement à vous faire remarquer votre impolitesse. Me laisser dîner seule le premier soir de mon arrivée ne témoignait pas d'une extrême élégance...

Son hilarité s'arrêta net. Se voir accusé d'un manque de courtoisie lui causait manifestement une vive contrariété. Il descendit de la table et s'avança vers elle, mais la douceur inattendue de sa voix dérouta la jeune fille.

— Je suis navré que vous ayez souffert de cette

solitude. J'ai cru bien faire en ne vous imposant pas ma présence. Les raisons qui m'appelaient au Ranch Gomez étaient impérieuses. Vous paraissiez épuisée. J'ai voulu vous donner le temps de vous remettre.

Il semblait sincère. La fureur de Regina s'apaisa quelque peu, mais elle était déterminée à ne pas s'en laisser conter une fois de plus.

— Cela ne change rien au fait que vous ayez menti à votre grand-mère. Le mariage qu'elle espère n'aura pas lieu.

— Il aura lieu... J'ai peut-être travesti la vérité, ici et là, commenta-t-il calmement, mais je ne lui ai pas menti. J'ai tenté de lui apporter quelque réconfort dans le moment extrêmement pénible qu'elle vit actuellement. Seuls les préparatifs d'une cérémonie et la perspective de voir se réaliser la volonté de son mari pouvaient l'arracher au désespoir où elle sombrait. J'ai donc la ferme intention d'épouser Miss Regina Barrington le vingt-quatre de ce mois.

La gorge sèche, les yeux agrandis par la stupéfaction, Regina croyait vivre un cauchemar.

— Le contrat n'a jamais comporté un tel engagement...

— Si.

La réponse était tombée, cinglante, péremptoire.

— Insinuez-vous que Bella...

— Bella n'est avare ni de promesses, ni de tromperies, vous en êtes consciente désormais. Elle a prétendu m'avoir prévenu de votre arrivée à sa place, ce qui était faux. Cela vous donne la mesure de son honnêteté...

Regina ne pouvait se résoudre à accepter une telle image de sa sœur si tendrement aimée.

— C'est impossible ! Bella n'aurait jamais... Vous abusez de ma crédulité...

Vicente, exaspéré par cette vaine résistance, lui désigna le téléphone :

— Vérifiez vous-même. Appelez-la et demandez-lui, ordonna-t-il d'un ton sec.

Vaincue, la jeune fille baissa la tête.

— Bella est partie en voyage de noces, murmura-t-elle piteusement. D'ailleurs, même si je pouvais la joindre, je ne prendrais pas ce risque. Vous détenez toujours votre as, n'est-ce pas ?

Il esquiva la remarque avec dédain.

— J'ai payé une grosse somme pour ce mariage. Rien ne m'y fera renoncer.

— Je ne vous épouserai pas !

Sa colère se réveillait, submergeant son sentiment de jouer une partie perdue d'avance.

— Vous arrive-t-il de penser un peu à moi, de vous apercevoir que j'existe, moi aussi, avec un cœur et des désirs ?

Le visage de Vicente se ferma, sa mâchoire se crispa.

— Que cherchez-vous à obtenir ? demanda-t-il d'un ton désagréable. Plus d'argent ?

Elle était tellement éloignée de cette préoccupation qu'elle ne comprit pas tout de suite le sens de sa question.

— Plus d'argent ? répéta-t-elle d'une voix sans timbre.

— Oui. Essayez-vous de faire monter les prix ? Peut-être votre compte en banque vous paraît-il bien modeste aujourd'hui, comparé à celui de votre sœur ?

Ce fut la goutte d'eau qui fit déborder le vase. Prise d'un accès de fureur incontrôlable la jeune fille se rua sur lui, et commença à le frapper de toutes ses forces. Une poigne de fer retint ses bras et la secoua violemment.

— Vous êtes un monstre ! hurla-t-elle.

Elle frissonna en apercevant l'éclat démoniaque des yeux de l'homme qui la tenait prisonnière. Brusquement, elle eut peur.

— Ne m'obligez pas à vous épouser, Vicente, je vous en prie. J'aime un autre homme.

La pression des mains qui l'enserraient s'accentua encore, menaçant de lui briser les os. Vicente était livide. Sa bouche prit un pli cruel, ses yeux devinrent plus brûlants, plus terribles que jamais. Regina ne put contenir un cri de douleur. Il parut revenir à lui, se rendre compte de la brutalité dont il faisait preuve envers elle. Il la lâcha, mais son visage gardait une expression hostile.

— Nous reviendrons sur ce sujet plus tard, gronda-t-il enfin. Si vous aviez la moindre tentation de révéler la vérité à ma grand-mère, cet après-midi, rappelez-vous que votre chère sœur et vous n'auriez pas assez de toute votre existence pour le regretter.

Comment savait-il qu'elle était invitée à prendre le thé avec la vieille dame ? Il était absent quand celle-ci le lui avait proposé.

Brisée par l'excès de sa colère et de son désarroi, Regina ne trouva rien à répondre. Il reçut son silence comme un acquiescement. Oubliant les affaires urgentes qu'il avait prétextées quelques minutes plus tôt, il sortit rapidement, comme s'il craignait de ne plus pouvoir contrôler son courroux.

De nouveau, la rage envahit la jeune fille. Quel infâme individu ! grommela-t-elle entre ses dents. Avant de rencontrer cet homme, elle était considérée comme une personne de tempérament calme et conciliant. Depuis quelques jours, depuis le moment où elle l'avait vu pour la première fois, le feu dont il avait parlé la consumait. Oh ! ce n'était pas le feu de la sensualité, comme il le suggérait, mais celui d'une colère qui la ravageait de ses flammes ardentes. Jamais auparavant, elle n'avait éprouvé une telle intensité de fureur envers quelqu'un.

Elle ne resterait pas une seconde de plus dans ce lieu où flottait encore imperceptiblement sa présence. Elle se dirigea vers la véranda, poussée par le besoin de respirer l'air de l'extérieur. La chaleur qui y régnait l'accabla. Aucun souffle frais ne vint rafraîchir son front qui abritait des pensées d'un noir pessimisme. Elle osait à peine évoquer le nom de Bella. Sa passion pour James l'avait-elle égarée à ce point ? Avait-elle réellement été capable, en toute lucidité, de jeter sa cadette dans la « gueule du loup » ? Il existait sans doute une explication raisonnable à cette conduite insensée. Mais laquelle ?

Une domestique traversa la pelouse, armée d'un gigantesque balai. Elle dévisagea la jeune fille avec curiosité. Gênée par ce regard scrutateur, Regina regagna sa chambre. Mais, l'agitation de son esprit se communiqua à son corps. Il lui était impossible de rester en place. Une petite marche lui serait profitable. Prenant ses lunettes de soleil dans son sac, elle retourna vers la véranda. Où aller ? L'estancia était située au sommet d'une colline... Elle aperçut quelques bâtiments, sur la droite, en contrebas. Vicente s'y trouvait peut-être. Elle prit la direction opposée, peu désireuse de le rencontrer maintenant.

Elle passa devant une piscine, dédaigna l'appel de ses eaux claires et tentantes sous la canicule de midi. Elle avait hâte de s'éloigner de cette demeure où elle avait déjà vécu trop d'instants douloureux. Elle allait, d'un pas rapide, les yeux fixés sur le sol, le front plissé, l'angoisse de sa situation désespérée ne lui laissant aucun repos. Le doute concernant Bella la rongeait, devenait insupportable. Elle exigerait des éclaircissements sans tarder. Le visage de Bella resurgit dans sa mémoire, creusé par les larmes mais conservant un regard déterminé. Elle possédait un tempérament passionné, passant de la joie la plus exubérante à la plus extrême détresse. Comment accueillerait-elle des reproches de sa sœur ? Elle était incapable de dissimuler la violence de ses émotions, aussi James ne tarderait-il pas à comprendre que quelque chose de grave était intervenu. Leur union serait alors dangereusement menacée.

Regina rejeta fermement cette idée. Non, elle ne téléphonerait pas à Bella. Toute sa vie serait empoisonnée par le remords d'avoir brisé son mariage. Il lui faudrait trouver une solution par elle-même. Elle avait suffisamment de temps jusqu'au vingt-quatre Janvier pour y réfléchir.

Elle releva la tête comme pour chercher une inspiration. Elle aperçut au loin un bosquet d'arbres dont l'ombre lui parut attrayante. Elle s'avança vers lui, trop préoccupée pour jouir du paysage alentour. Pourtant, quand elle atteignit le petit bois, sa morne confusion intérieure s'évanouit instantanément. La beauté de ce qu'elle découvrait dépassait tout ce qu'elle avait connu jusqu'à présent. Ici, il n'y avait plus aucune place pour les petits soucis humains. Un sentiment de force, de paix, de sérénité se dégageait de ces lieux, apaisant toute vaine agitation. Même une personne médiocrement attirée par les charmes de la nature aurait dû se rendre à l'évidence.

Un vent chaud effleura son visage, souleva les frêles branches d'un saule pleureur, créa un murmure harmonieux dans les feuilles d'un sycomore et rida la surface miroitante d'un petit cours d'eau coulant à quelques mètres de l'endroit où elle s'était arrêtée.

Chaque chose reprenait sa vraie valeur, rien ne troublait le plaisir de cette contemplation. Le cœur plein de délices, la jeune fille enleva ses lunettes de soleil pour apprécier dans toute leur somptuosité les couleurs qui composaient une symphonie éblouissante. Elle parcourut la distance qui la séparait de l'eau et s'accroupit près du bord, attentive au ballet des insectes argentés, comme l'onde qu'ils frôlaient de leurs ailes diaphanes. Sur le ciel d'un bleu profond, un oiseau, peut-être un aigle, décrivait de larges cercles en descendant vers une proie invisible. La rivière scintillait sous le soleil, noyant en ses remous mille reflets diaprés et fugaces. Sur l'autre rive, des prairies émeraude s'épanouissaient, abondantes en fleurs sauvages, formant une sorte de tapis mouvant, ondulant, dont les motifs variaient avec les mouvements du vent.

Uruguay signifie : « pays pourpre », se souvint la jeune fille. Des fleurs de cette couleur parsemaient en effet la campagne environnante. Elle en cueillit quelques-unes pour les observer de plus près. Elle enfouit son visage dans leurs pétales, s'enivrant de leur odeur, admirant les délicates nuances de leurs coloris, l'incroyable variété de leurs formes, faisant de chacune d'elles un objet unique et précieux.

Chaque nouveau regard lui révélait des détails enchanteurs qui lui avaient échappé au premier examen. Elle baignait dans le ravissement. Cerros de Cielo porte bien son nom, songea-t-elle. Voulant embrasser tout l'horizon, elle se retourna, et la maison entra dans son champ de vision. Elle couronnait la plus haute colline. Elle aurait été incapable de dire combien de temps elle était restée là, émerveillée, mais la vue de la longue demeure blanche, éblouissante sous le soleil, la rappela à d'autres pensées, et rompit le charme. Elle avait maintenant puisé de nouvelles forces au contact de la nature. Il lui fallait à présent affronter la terrible réalité. Mieux valait rentrer.

Elle contraindrait Vicente à imaginer un prétexte pour décommander le mariage, à annoncer à la vieille dame qu'il était repoussé. Il prendrait toutes les précautions souhaitables pour atténuer le choc. Elle était tout à fait tranquille sur ce point. Vicente traitait sa grand-mère comme une porcelaine précieuse.

La perspective de l'entrevue avec Dona Eva, seule à seule, la terrifiait. Comment parviendrait-elle, sans se trahir, à évoquer calmement les détails de son futur mariage ? Mentir aussi grossièrement lui répugnait. Non. Elle se rendrait à cette invitation seulement si Vicente avait préalablement averti sa grand-mère. Reprise par le tourbillon de ses préoccupations, elle oublia de faire ses adieux au merveilleux paysage qui lui avait procuré quelques instants d'accalmie au milieu de ses tourments. Elle grimpa la rude pente de la colline, habitée par l'espoir de trouver Vicente dans son bureau.

Essoufflée, le visage rouge, elle pénétra dans le hall en toute hâte, et en apprécia la fraîcheur. Presque aussitôt, Juana surgit devant elle. Elle lut sur son visage un soulagement manifeste et en conclut qu'on l'avait cherchée.

— Dona Regina…

Juana s'interrompit à la vue de Vicente se dirigeant vers elles. Il la congédia avec gentillesse, le regard fixé sur sa « fiancée » en sueur et les cheveux en désordre.

— J'étais inquiet, *querida,* remarqua-t-il.

Regina attribua le « querida » à la présence de Juana qui s'éloignait.

— Vicente, je dois absolument vous parler.

— Rien ne me paraît plus urgent pour vous que de boire un rafraîchissement.

Ne lui laissant pas le loisir d'ajouter un seul mot, il lui prit le bras et la conduisit jusqu'à une pièce confortable, conçue pour le repos et la détente. Il l'installa dans un fauteuil profond et la réprimanda d'une voix bienveillante.

— Vous auriez intérêt à attendre d'être plus acclimatée à la chaleur avant de vous exposer au dangereux soleil de midi.

Juana revint avec un verre de jus d'orange glacé que Regina avala à grands traits.

— Pendant quelque temps au moins, il serait préférable que vous informiez quelqu'un de la direction où vous vous proposez de flâner, quand vous quitterez l'estancia.

Elle perçut le reproche derrière le ton insouciant, et s'irrita de cette restriction. Etait-elle prisonnière ici ? Lui fallait-il demander la permission de sortir, comme un enfant ? Mais elle s'interdit de déclencher une nouvelle querelle. Vicente lui souriait avec douceur. Cela soulignait le charme de son visage. Hélas ! Sa requête allait à coup sûr effacer ce gracieux sourire.

— Vicente...

— Où êtes-vous donc allée ? la coupa-t-il.

Cette question ramena l'esprit de la jeune fille vers le paysage enchanteur qu'elle avait découvert quelques instants auparavant.

— Vers la rivière qui coule en bas de la colline. Oh Vicente ! Quel endroit merveilleux ! J'en avais les larmes aux yeux...

Elle s'arrêta, honteuse de s'être ainsi dévoilée. Le rose monta à ses joues. Vicente se pencha vers elle et la regarda avec une attention redoublée.

— La splendeur du lieu dont vous parlez, *querida,* murmura-t-il, devait être décuplée puisque vous y étiez.

Cette fois, il ne lui attribuait ce mot doux à l'intention d'aucun témoin puisqu'ils étaient seuls dans la pièce. Le compliment avait un tel accent de vérité que Regina en resta coite. Alors, il s'approcha d'elle, et effleura ses lèvres d'un baiser si léger qu'elle crut rêver : cela ressemblait à un hommage à sa beauté plutôt qu'à un geste de désir brutal.

— Quand vous serez reposée, Maria vous servira votre déjeuner. Je suis désolé, mais je dois partir maintenant. Ce soir, nous dînerons ensemble.

Il s'éloigna à grandes enjambées avant qu'elle n'ait pu effectuer un seul geste pour le retenir. Elle passa ses doigts sur ses lèvres, comme pour retrouver la trace du baiser qu'il y avait déposé. Une fois de plus, il avait habilement manœuvré pour mener les événements à son gré.

Regina demeura sans forces, clouée sur son siège. Elle tenta de retrouver son humeur combative en évoquant l'audace et la désinvolture permanentes dont Vicente faisait preuve envers elle, apparaissant, disparaissant, l'observant dans son sommeil, pénétrant dans sa chambre quand bon lui semblait, l'embrassant ou la menaçant, l'interrompant sans cesse, sans jamais tenir compte de ses désirs... Rien n'y fit. Elle avait beau se répéter qu'il ignorait ses sentiments, ses aspirations, en ce moment précis, elle ne lui en voulait plus. Et maintenant, voilà qu'il la quittait, après un baiser volé, l'acculant à affronter seule le redoutable entretien avec la vieille dame, lui abandonnant le soin de se débattre au milieu de ses propres mensonges. Quel homme était-il donc à la fin ? Il passait de la brutalité à la douceur, de l'ironie à la colère, soulevant en elle des vagues d'émotions violentes. N'était-elle qu'un jouet entre ses mains, livré à son caprice, contraint de subir ses humeurs et ses volontés ?

Elle se dirigea vers la véranda, avec l'intention de renoncer à cette comédie épuisante, de partir loin de ces merveilleuses Collines Célestes, qui ressemblaient fort pour elle à un enfer. Dehors, la chaleur avait encore augmenté. L'air brûlant l'obligea à reculer. Où irait-elle ? Désormais sans travail, sans logement, sans ressources, où pourrait-elle trouver un abri ?

Désemparée, elle se réfugia dans l'ombre accueillante du salon. Des visages défilèrent un à un devant ses yeux. Celui de Bella, resplendissant sous son voile de mariée, puis crispé par le désespoir. Celui de Dona Eva, son doux regard embué par les larmes, puis pétillant de joie quand il se posait sur elle. Le bonheur de ces deux femmes reposait entièrement sur elle. Il lui fallait trouver le courage d'aller jusqu'au bout.

Il était presque quatre heures. Elle disposait de quelques minutes pour faire un brin de toilette et se changer. Pourquoi ne pas invoquer une migraine et échapper ainsi à la pénible nécessité de cette entrevue ? La crainte de décevoir la tendre et fragile grand-mère de Vicente arrêta Regina. Résignée, le cœur battant, elle se dirigea vers les appartements de Dona Eva.

Ana ouvrit aussitôt la porte avec un sourire resplendissant. Dans un anglais parfait, elle chuchota :

— Madame se fait une joie de votre visite.

Regina se sentit l'âme d'une criminelle.

— Mon enfant ! s'écria Dona Eva en esquissant un geste pour se lever.

Regina se précipita vers elle pour l'en empêcher, et posa un baiser rapide sur la joue pâle.

— Asseyez-vous près de moi. Ana va nous apporter le thé. Je l'ai fait venir spécialement d'Angleterre. Vous connaissez le maté, sans doute, la boisson nationale des Uruguayens ? J'ai deviné que vous préféreriez une bonne tasse de vrai thé anglais.

Regina acquiesça avec empressement, frappée par l'animation et la gaieté de son hôtesse. Elle se lança aussitôt dans la description détaillée de sa promenade vers la rivière.

— Je vois que vous commencez déjà à aimer ce pays, comme je l'aime moi-même, approuva Dona Eva, émue par son enthousiasme. L'Uruguay est composé de dix-neuf régions, appelées départements, précisa-t-elle. Durazno constitue l'une d'elles.

— La plus belle, j'en suis sûre, affirma la jeune fille, se souvenant de la splendeur du lieu contemplé quelques instants plus tôt.

— Je partage tout à fait cette opinion, même si l'on doit m'accuser de partialité, renchérit la vieille dame, en souriant. L'Uruguay occupe la rive est du Rio de la Plata. C'est pourquoi on l'appelait autrefois la « Rive Orientale ». La rivière Yi, qui borde la région de Durazno, est magnifique.

Une tristesse soudaine sembla étreindre Dona Eva, qui s'interrompit. Regina se rappela la réponse de Vicente, lorsqu'elle l'avait questionné à propos de ses parents : ils se sont noyés, avait-il lancé brutalement. Dona Eva confirma qu'en effet son fils et sa belle-fille avaient péri dans un accident imprévisible, au cours d'une sortie en voilier sur la rivière Yi.

Regina respecta le long silence qui suivit. Tant de fois sa propre grand-mère l'avait prise à témoin quand elle remontait le cours de son passé et se remémorait les événements anciens. Les souvenirs constituent le seul trésor des vieillards, songea-t-elle.

— Vicente était un enfant lorsque cela se passa, reprit Dona Eva, d'une voix lointaine. Roberto et moi l'avons immédiatement recueilli, bien sûr. Mais Vicente dépérissait loin de ses collines et de sa rivière. Comme Roberto se plaisait également beaucoup à Cerros de Cielo, nous sommes venus vivre ici tous les trois. Par la suite, Vicente est parti faire ses études à l'université. Quand il est revenu, il était parvenu à l'âge d'homme. Notre rôle s'achevait là. Roberto et moi nous sommes retirés dans notre maison, laissant Vicente chez lui.

— Vicente a sans doute désapprouvé votre départ, remarqua Regina, connaissant l'attachement de ce dernier pour ses grands-parents.

Les yeux de Dona Eva étincelèrent avec malice, et

son visage rajeunit soudain, révélant l'éclatante beauté qui avait dû être la sienne au temps de sa jeunesse.

— Pas le moins du monde. Pourquoi un jeune homme se soucierait-il de garder sans cesse derrière lui deux vieilles personnes grommelant des reproches au sujet de ses sorties nocturnes et de sa vie déréglée ?

Dona Eva n'était pas femme à se lamenter sur l'évolution du monde moderne et la dissolution des mœurs. La tendresse de Regina pour la vieille dame augmenta quand elle la vit si ouverte, si large d'esprit, si pleine d'humour.

— De temps à autre, des rumeurs concernant telle ou telle relation féminine de notre petit-fils nous parvenaient. Mais aucune ne paraissait durable. Les années passaient, et Vicente décevait notre attente en allant ainsi d'une femme à l'autre. L'an dernier, quand Vicente a fêté ses trente-six ans, son grand-père l'a pris à part et sermonné. Il lui fallait maintenant se résoudre à fonder un vrai foyer, une famille unie, comme celle qu'avaient formée ses parents, et ses grands-parents avant eux.

Regina, qui avait un instant oublié toute crainte pour prêter une oreille intéressée au récit de Dona Eva, porta en toute hâte sa tasse à ses lèvres et avala une gorgée de thé pour dissimuler son trouble. La conversation abordait un sujet épineux. Elle chercha désespérément une diversion. Mais, dans sa frayeur de laisser échapper une maladresse qui aurait mis la vieille dame en éveil, ou l'aurait peinée, elle ne trouva rien.

— La remontrance de mon mari demeura lettre morte, continua Dona Eva. Vicente lui rétorqua avec force que le mariage était à ses yeux indissociable de l'amour. Il s'y résoudrait uniquement quand il serait certain de ses sentiments, pas avant.

Regina se réjouit en son for intérieur. Cette

déclaration péremptoire la rassurait. Si Vicente voulait rester fidèle aux paroles prononcées devant son grand-père, la cérémonie du vingt-quatre janvier n'aurait pas lieu. La jeune fille se sentit soudain légère et gaie, délivrée d'un grand poids.

Vicente, ne sachant qu'imaginer pour distraire sa grand-mère de son désespoir, avait sans doute jeté cette phrase au milieu de la conversation sans en mesurer les conséquences. Il le regrettait probablement à présent. Trois semaines les séparaient de la date fixée. Dona Eva aurait repris des forces d'ici là. Il pourrait alors découvrir une raison plausible pour reculer la cérémonie, puis la retarder indéfiniment.

— Vous porterez une robe blanche, n'est-ce pas ?

Regina sortit de ses réflexions et mit quelques secondes à comprendre le sens de la question.

— Blanche ?

— J'ai entendu dire que les jeunes filles d'aujourd'hui jugent le blanc passé de mode, pour le jour de leurs noces ? expliqua Dona Eva d'une voix amusée.

— Oui, oui, lança évasivement Regina, laissant le doute planer sur la phrase à laquelle ce oui répondait.

Elle balbutia quelques excuses hâtives, évoqua la fatigue due à un climat si nouveau pour elle, et prit congé. Dona Eva lui arracha avant son départ la promesse de revenir le lendemain.

De retour dans sa chambre, elle s'allongea quelques instants pour réfléchir dans le calme, aux événements de la journée. Juana l'avait avertie que le dîner serait servi à neuf heures seulement.

Le soulagement ressenti après les confidences de la vieille dame fut de courte durée. Vicente avait proclamé devant son grand-père sa résolution d'épouser la femme qu'il aimerait, et aucune autre. Pourtant, le matin même, il lui avait fait part de sa volonté inflexible de s'unir à elle. Où donc résidait la vérité ? Que fallait-il croire ?

Elle ne vit pas le temps passer et se leva un peu plus tard pour aller jusqu'à la fenêtre. Le ciel était devenu bas et de lourds nuages gris rendaient l'atmosphère étouffante. La pluie se mit à tomber, d'abord doucement, puis de plus en plus violemment. Elle regarda longuement les larges gouttes frappant les pétales des fleurs et les inclinant vers la terre.

Elle ouvrit l'armoire où elle avait rangé ses vêtements, et hésita longtemps avant de choisir une robe rose vif très ajustée à la taille.

Au moment de quitter sa chambre pour se rendre à la salle à manger, elle passa en revue tous les détails de sa toilette dans la grande glace qui ornait un angle de la pièce. Elle désirait paraître à son avantage, ce soir. Le miroir lui renvoya le reflet d'une silhouette longue et mince, irréprochable, rehaussée par la masse blonde des cheveux de soie retombant librement sur les épaules. Sa tenue plairait-elle à Vicente ? Qui aurait pu prédire les réactions de cet homme déconcertant ?

Dans le hall, après la véranda, elle l'aperçut venant à sa rencontre. Il portait un costume noir, d'une coupe parfaite qui soulignait la largeur de ses épaules.

Il s'arrêta dès qu'il la vit, attendit qu'elle se rapprochât, la prit par le bras et la fit tourner sur elle-même.

— Vous êtes splendide, affirma-t-il d'un ton approbateur.

— Merci, bredouilla vaguement Regina, embarrassée mais constatant avec satisfaction qu'il semblait d'une humeur charmante.

Ils se rendirent près de la vaste table où deux couverts étaient dressés. Le dîner serait donc un tête-à-tête. Regina se promit de ne pas laisser passer cette occasion. Tous les malentendus devraient être éclaircis dès ce soir. Mais il s'agissait de ne pas se précipiter. Elle commençait à connaître l'homme qui lui faisait face. Un mot pouvait le transformer. Celui qui, souriant, lui avançait sa chaise avec prévenance, deviendrait rapidement un personnage agressif et insultant si elle se montrait malhabile.

Maria s'avança, apportant le premier service et s'esquiva aussitôt.

— Comment s'est déroulée votre première journée à Cerros de Cielo ? Avez-vous passé quelques moments agréables ?

— J'ai rendu visite à votre grand-mère, commença Regina, dans l'espoir d'amener la conversation là où elle le souhaitait.

— On m'en a informé, en effet. Vous plaisez beaucoup à *Abuela*...

— Je l'aime beaucoup également, reconnut la jeune fille avec sincérité.

— Vous m'en voyez ravi... J'espère que vous ne me tenez pas rigueur de mes absences prolongées, ajouta-t-il d'un ton charmeur. Je manque à mes devoirs d'hospitalité, et j'en suis navré. Les derniers... événements, reprit-il d'un air assombri, m'ont amené à négliger mes affaires. Certains problèmes urgents demandent à être réglés dès maintenant. Je remédierai à cette situation aussitôt que possible.

Elle admira la virtuosité dont il faisait preuve quand il s'agissait d'éviter les sujets compromettants.

— Montez-vous à cheval ? enchaîna-t-il immédiatement, comme pour lui ôter toute possibilité d'intervention.

— J'ai fréquenté quelques fois le manège proche du lieu où nous allions en vacances, mais je n'ai rien d'une cavalière émérite...

— J'ai tout à apprendre sur vous. Je ne connais rien de votre vie, murmura-t-il rêveusement. Si le temps le permet, je voudrais que vous m'accompagniez, demain matin. Je vous ferai découvrir cette terre où je suis né, à laquelle je suis profondément attaché.

— Je suis sûre de retirer un grand plaisir de cette promenade.

Maria revint, chargée d'un nouveau plat. Tandis qu'elle s'affairait, Regina décida qu'il était temps maintenant de cesser ce charmant badinage pour aborder les problèmes difficiles. Dès que la domestique eut disparu, elle prit la parole.

— Ce plaisir serait plus grand encore si certaines... questions en suspens se trouvaient résolues. Nous devons revenir sur ce projet de mariage, Vicente, affirma-t-elle avec douceur mais fermeté en le regardant droit dans les yeux.

Il remplit de vin le verre de la jeune fille et le sien, et but lentement quelques gorgées, le regard baissé, absorbé dans sa dégustation.

— Très bien, concéda-t-il. Je comprends votre réticence. Quand vous avez accepté de vous rendre en Uruguay à la place de Bella, vous ignoriez une partie importante de l'engagement qu'elle avait pris vis-à-vis de moi. Avez-vous réfléchi à l'importance de la somme reçue par elle ? Elle était justifiée par la gravité de ce que je réclamais en échange. Croyez-vous sérieusement que j'aurais versé une telle quantité d'argent simplement pour que Bella vienne prolonger ses vacances pendant quelques semaines à l'estancia, en se prétendant ma fiancée ?

Regina se souvint d'avoir tressailli, en effet, à l'énoncé du montant du chèque.

— Ma confiance en Bella étant totale, je n'ai pas un instant soupçonné son mensonge. En toute bonne foi, j'ai résolu de l'aider, de régler sa dette, en jouant pour quelque temps le rôle de votre *future* épouse, précisa-t-elle.

— Cela constituait-il vraiment votre seul but ? l'interrompit-il.

Elle s'efforça d'apaiser l'irritation qui la gagnait.

Pourtant, s'il l'accusait à nouveau de vénalité, elle ne pourrait pas maîtriser sa colère, elle le savait. Il devina la raison de son silence, et reprit :

— Vous m'avez avoué tout à l'heure aimer un autre homme. Comment réussissez-vous à concilier cet amour et votre présence ici ?

— Cette question touche à ma vie privée. Je n'ai pas à vous répondre.

— Je ne partage pas cette opinion. Vous deviendrez ma femme dans trois semaines. J'exige des précisions à ce sujet...

— Je ne deviendrai pas votre femme, ni dans trois semaines ni jamais, lança-t-elle, une fois de plus sous l'emprise de la fureur. Cet après-midi, Dona Eva m'a longuement parlé de vous. Vous avez assuré à votre grand-père, selon elle, que vous ne vous marieriez pas sans être profondément amoureux. Si je me fie au peu d'attirance que vous manifestez à mon égard, vous ne devriez pas songer à cette union une seule seconde, persifla-t-elle, triomphante d'avoir pu mener une telle tirade jusqu'à son terme.

— Il apparaît en effet qu'aucun de nous n'envisage ce mariage de gaieté de cœur, déclara-t-il sombrement. Il aura lieu cependant, ne vous y trompez pas. J'y suis fermement déterminé.

Il reposa son couteau sur la table avec brusquerie. Cela provoqua un bruit sec qui fit sursauter la jeune fille.

— Pourquoi votre prétendant ne vous garde-t-il pas auprès de lui ? Comment parvient-il à supporter votre absence ? Pourquoi ne vous épouse-t-il pas ? Craindrait-il de prendre un engagement définitif vis-à-vis de vous ?

Baissant la tête sur son assiette, Regina chercha désespérément une échappatoire. Clive lui paraissait lointain, comme noyé dans les brouillards de Londres, ou comme un souvenir ancien, effacé par le temps. Seule une petite douleur, au plus profond de son cœur, se réveillait, à l'évocation de son nom. Elle répugnait à dévoiler à Vicente les détails de cette aventure.

— Peut-être a-t-il invoqué l'excuse classique : il est marié et sa femme refuse de divorcer ? continua son interlocuteur d'un ton railleur.

Soudain, Regina entrevit la possibilité d'échapper au mariage qui la menaçait : si elle parvenait à persuader Vicente qu'elle n'était pas une personne convenable, sans doute refuserait-il de lui donner son nom. Elle commença donc à lui relater les circonstances qui avaient entouré son départ pour l'Uruguay. Elle insista longuement sur la tentation de partager la vie de Clive, malgré son passé, ses enfants, et la réprobation de son entourage.

— Vous avez finalement renoncé à ce projet et vous vous êtes enfuie en Uruguay. Sur les conseils de Bella, je suppose ? Clive était-il votre amant ? interrogea-t-il brusquement.

Elle le foudroya du regard.

— Qui ne dit rien acquiesce. Il l'était, donc.

Pourquoi l'aurait-elle nié ? S'il la méprisait, il finirait peut-être par renoncer à son ridicule projet.

Maria interrompit ces réflexions en apportant le dessert. Regina la complimenta, en espagnol, pour ce repas délicieux, et attendit qu'elle fût éloignée.

— Vous commencez à comprendre que je ne suis pas digne de porter le nom des Cardenosa, n'est-ce pas ?

Pour seule réponse, elle obtint un retentissant éclat de rire qui emplit la vaste salle à manger.

— Pensez-vous être la première à tomber amoureuse d'un homme marié ? A perdre votre pureté sans la bénédiction d'un prêtre ?

Son plan avait échoué. Il lui fallait en trouver un autre, en toute hâte.

— Ne craignez-vous pas pour votre fortune ? Vous avez plusieurs fois insinué que j'avais entrepris ce voyage dans un but uniquement intéressé. C'est l'expression que vous avez employée, n'est-ce pas ? Lorsque je serai votre femme, je pourrai disposer à mon gré de vos biens, dilapider tout votre avoir...

Le rire provoqué par sa précédente remarque s'éteignit sur les lèvres de Vicente, et son visage se ferma. Elle se réjouit, croyant avoir touché juste.

— Lorsque vous connaîtrez mieux mes compatriotes, Regina, vous saurez que les Uruguayens possèdent en commun un trait caractéristique : ils sont joueurs. Ils n'hésitent jamais à prendre un risque, s'ils estiment que cela en vaut la peine. Ils aiment parier sur l'avenir. Ce risque, je consens à le courir, le vingt-quatre janvier prochain. Vous feriez mieux de vous habituer à cette idée...

Elle se leva avec une telle violence que sa chaise se renversa en arrière avec un bruit sonore. Debout, dressée face à lui, elle martela la table de son poing serré, comme pour appuyer chacune de ses paroles.

— Je ne vous épouserai pas, Señor Vicente Cardenosa. Ma décision est irrévocable. Je suis désolée d'avoir à peiner votre grand-mère, pour qui j'éprouve beaucoup d'affection, mais je ne vous épouserai pas. Nul ne pourra m'y contraindre. Vous devrez trouver une raison plausible pour annuler ce projet. Réfléchissez-y dès maintenant...

Un soupir d'impatience s'échappa de la poitrine de Vicente, comme celui d'un adulte exaspéré par les caprices d'un enfant têtu.

— Quel dommage ! murmura-t-il, son visage montrant une extrême désolation, démentie par l'expression de ses terribles yeux bleus.

— Dommage ? répéta Regina en écho, soupçonnant un piège.

— Oui, quel dommage d'avoir à briser un couple uni juste au sortir de sa lune de miel. Peut-être attendrai-je quelques jours pour informer M. James Usher des moyens utilisés par sa femme pour se libérer de son contrat, et de sa conduite sans scrupules envers sa jeune sœur. Il appréciera ces renseignements à leur juste valeur, j'en suis persuadé...

Regina blêmit et s'accrocha à la table pour ne pas défaillir.

— Je vous déteste. Vous êtes ignoble.

Résistant à la tentation de lui jeter le contenu de son assiette à la figure, elle tourna le dos et claqua violemment la porte derrière elle. Décidément, chaque fois qu'elle partagerait un repas avec cet individu exécrable, elle ne parviendrait pas à déguster son dessert en toute quiétude, songea-t-elle avec rage, aveuglée par les larmes jaillissant de ses yeux.

7

A son réveil, au matin, Regina s'étonna d'avoir dormi aussi paisiblement, aussi profondément. Le bouleversement ressenti dans la soirée n'avait pas troublé son sommeil.

Elle alla ouvrir les rideaux et découvrit un ciel pur, libre des lourds nuages de la veille.

Quelques coups timides frappés à la porte annoncèrent l'arrivée de la silencieuse Juana, apportant le plateau du petit déjeuner. Après l'avoir déposé sur la petite table basse, elle tira de sa poche un billet plié en quatre, le remit à la jeune fille et attendit, les mains croisées sur son tablier aux couleurs vives.

Regina prit connaissance de son contenu. Vicente la prévenait qu'il partirait dans une demi-heure, et serait ravi si elle consentait à l'accompagner. Il n'en était pas question ! Après ce qui s'était passé la veille au soir, elle n'éprouvait pas la moindre envie de le rencontrer, encore moins de partager les joies d'une promenade avec lui. Puisqu'elle s'était engagée à jouer le rôle de sa fiancée, elle continuerait à l'assumer de son mieux. Elle s'efforcerait de le satisfaire sur ce plan-là, d'être irréprochable. Mais elle éviterait le plus possible les moments de tête-à-tête avec lui.

Elle saisit dans le tiroir du bureau un stylo et une feuille de papier blanche. Juana la couvait d'un regard attendri, imaginant sans doute les romantiques déclarations échangées par l'entremise de ces billets. Regina écrivit à la hâte quelques mots pour décliner l'invitation, se gardant de toute allusion imprudente, au cas où le message tomberait entre des mains indiscrètes, et le confia à Juana qui sortit aussitôt.

Elle savoura lentement son petit déjeuner, resta un long moment sous la douche, s'abandonnant au plaisir de sentir l'eau tiède effleurer les moindres parcelles de son corps, puis revêtit une ample jupe de madras et un corsage blanc très strict.

Elle s'installa ensuite devant son secrétaire et commença une longue lettre à l'intention de Bella. Elle lui décrivit avec enthousiasme les paysages merveilleux qu'elle découvrait, et s'abstint de tout reproche, et même de toute précision concernant sa situation. Elle ne mentionna pas une seule fois le nom de Vicente, et s'appliqua à apparaître comme une touriste comblée. Ainsi, si James désirait lire cette missive, rien ne pourrait y éveiller ses soupçons. Elle glissa les feuillets dans une enveloppe, et partit à la recherche de Maria. Celle-ci promit de se charger de l'envoi dans les plus brefs délais.

Comme guidés par une force supérieure, les pas de la jeune fille se dirigèrent alors vers le lieu enchanteur où elle avait connu, la veille, les seuls moments de joie et de paix depuis son arrivée dans ce pays. Le charme opéra de nouveau. Elle s'assit à l'ombre fraîche des arbres bordant la rivière, et laissa son esprit vagabonder avec le vol des papillons, couler avec les eaux claires, se perdre dans le gazouillis des oiseaux et le bourdonnement des insectes. Elle suivit pendant de longues minutes l'itinéraire d'une abeille industrieuse, les ailes presque invisibles tant leur vibration était rapide, qui visitait chaque fleur, sans repos, enfouissant sa tête dans leurs calices, puis repartant un peu plus loin, chargée de sa précieuse substance.

Soudain, un martin-pêcheur, flèche lumineuse d'un bleu-vert intense, plongea, faisant rejaillir autour de lui des gouttes chatoyantes avant de s'enfuir, une proie argentée se débattant dans son bec. Instinctivement, Regina se leva, pour accompagner sa descente le long de la rivière. Elle le perdit rapidement de vue, mais continua à marcher en longeant la berge, attentive aux mille petits spectacles qui se déroulaient en permanence sous ses yeux.

Pendant quelques instants, elle se crut seule au monde, seule à goûter le pur délice de la contemplation de cette beauté. Mais, après avoir contourné un bosquet d'arbres qui interdisait l'accès à la rive, elle déboucha sur une prairie vert sombre où, devant un chevalet, le pinceau dans une main, la palette dans l'autre, une silhouette se dressait. Surprise, elle s'approcha. Le regard furieux jeté par l'artiste lui fit regretter son intrusion.

— Je suis navrée de vous avoir dérangée, s'excusa-t-elle. Ne vous interrompez pas. Je poursuis mon chemin...

Elle avait parlé anglais, étourdiment, et, se ravisant, s'apprêta à traduire sa phrase en espagnol, tant bien que mal.

Après un examen minutieux, les yeux de son interlocutrice s'adoucirent et sa bouche esquissa un sourire de bienvenue.

— Vous êtes la fiancée de Vicente, s'écria la jeune femme inconnue, dans un anglais excellent.

— Oui, en effet, admit-elle, étonnée.

— Je suis Carlota Mendoza, mais tout le monde m'appelle Lola. Mon mari, Francisco, est...

Elle hésita, cherchant le mot correct.

— ... le régisseur de Vicente.

Elles se serrèrent la main avec cordialité. Lola commença à ranger ses instruments dans une vaste boîte, malgré les protestations de Regina, confuse d'avoir troublé son travail.

— Vous êtes arrivée fort à propos, au contraire. J'allais oublier l'heure qui avance. Il me faut rentrer. Aimeriez-vous venir prendre une tasse de café à la maison ? C'est tout près d'ici.

Regina accepta l'invitation de grand cœur, ravie de rencontrer une personne aussi spontanée et charmante.

Elles traversèrent la rivière sur un ravissant petit pont de bois vermoulu, et parvinrent en vue d'un groupe d'habitations éparpillées çà et là sur la pente d'une colline.

— Ces demeures abritent, en grande partie, les employés de Vicente, expliqua Lola.

Elle poussa la grille d'entrée d'un magnifique jardin, regorgeant de fleurs splendides, disposées avec beaucoup de goût. On reconnaissait dans ces arrangements la maîtrise d'un artiste habitué à manier les couleurs et les formes. Regina complimenta la jeune femme et pénétra à sa suite dans la fraîcheur d'un hall orné, lui aussi, d'une multitude de plantes luxuriantes.

Une heure passa en bavardages et en rires complices. Une sympathie immédiate s'était établie entre les deux femmes. Regina admira les toiles de Lola qui témoignaient d'un réel talent, et écouta avec attention les propos enthousiastes qu'elle tenait sur son pays. Elles s'étonnèrent ensemble de ce que la moitié de la population de l'Uruguay — environ trois millions d'individus — vécût à Montevideo, désertant l'intérieur des terres, pourtant pourvu de paysages si merveilleux.

Lola prit ensuite une mine attristée pour évoquer la mort du grand-père de Vicente.

— J'ai aperçu Dona Eva à l'enterrement. Elle semblait si faible, si absente, comme si plus rien ne la retenait à l'existence. Heureusement, vous êtes arrivée ! Votre mariage va lui donner un regain d'énergie. En avez-vous fixé la date ?

— Le vingt-quatre janvier, s'entendit répondre Regina.

Elle se mordit les lèvres aussitôt, mais trop tard. Pourquoi avait-elle donc laissé échapper ce renseignement, qui ne tarderait pas à se répandre comme une traînée de poudre ? Il faudrait, par la suite, décevoir toutes ces attentes, démentir la nouvelle. Moins il y aurait de personnes informées, mieux cela vaudrait.

Lola se montra enchantée et avide de détails concernant la cérémonie. Décidément, tout le monde paraissait se réjouir de ce projet, sauf les principaux intéressés ! Regina dissimula sa gêne en consultant sa montre.

— Si je m'attarde encore, je crains de faire attendre Maria qui a sans doute mijoté à mon intention un des savoureux petits plats dont elle a le secret. Vous voudrez bien m'excuser, Lola, mais je dois partir...

Elles promirent de se revoir bientôt. Regina passa à nouveau sur le délicieux petit pont de bois et remonta le cours de la rivière pour rejoindre l'estancia. Elle pressait le pas, peu désireuse d'encourir des reproches au sujet de son retard.

Elle atteignit bientôt son lieu de prédilection. A l'endroit précis où elle s'était assise un moment plus tôt, se tenait un splendide étalon, à la robe noire comme la nuit. Entièrement vêtu de noir, comme pour s'accorder à sa monture, Vicente, juché sur l'animal superbe et le contrôlant d'une main ferme, la regardait venir vers lui. L'accord entre le cheval et le cavalier était si parfait qu'on aurait pu penser à l'apparition d'un centaure au sein d'une de ces forêts enchantées fréquentées par les êtres les plus improbables.

Stupéfaite, Regina s'arrêta, les yeux écarquillés. La brusque dispariton en fumée de cette étrange créature à deux têtes ne l'aurait pas étonnée outre mesure.

Soudain, une violente rafale de vent, totalement inattendue, s'éleva, agita les branches des arbres et s'engouffra sous la vaste jupe de la jeune fille, la soulevant jusqu'à la taille. Elle se débattit pour la rabattre, mais ne put cacher tout à fait ses longues jambes nues. Vicente, souriant ironiquement, s'avançant vers elle.

— J'ai oublié de vous parler du *pampero,* chérie. Il s'agit d'un vent du sud-ouest qui surgit à l'improviste et disparaît tout aussi rapidement. Ses conséquences se révélent parfois curieuses : il lui arrive d'apaiser les humeurs les plus sombres dans le cœur des hommes... suggéra-t-il, les yeux pétillants de malice.

Regina, rouge de confusion, soupçonna la cause de cette sombre humeur. Elle avait omis de prévenir quelqu'un de la destination de sa promenade. Elle avait désobéi à ses instructions.

Il lui tendit alors la main, du haut de sa monture. Interloquée, ne comprenant pas la signification de son geste, elle resta immobile.

— Allons ! Un peu de courage ! la stimula-t-il.

Devinant son intention, elle secoua vigoureusement la tête.

— Non merci. Je préfère marcher.

Elle lui tourna le dos, continuant son chemin vers la grande demeure blanche qu'on apercevait en haut de la colline. Ses pieds quittèrent alors le sol, elle se sentit soulevée de terre par une main sûre, et se retrouva à califourchon sur le bel étalon qui piaffait d'impatience. Terrorisée, elle fut incapable de prononcer un son ou d'effectuer un mouvement tant elle craignait de tomber. Elle se serait rompu le cou, d'une telle hauteur ! Mais le bras qui l'enserrait et la maintenait fermement contre la poitrine du cavalier ne lui aurait par permis cette chute. Elle discernait chacun des tressaillements des muscles dures de celui qui l'avait aussi hardiment enlevée, alors qu'il guidait l'animal avec précision. Elle percevait sa chaleur, chaque frémissement de sa peau...

Peu à peu, sa peur diminua et, à sa grande surprise, elle commença à éprouver un vif plaisir à cette promenade. Vicente, d'un petit coup de talon, accéléra l'allure. Avec la vitesse , le vent rafraîchit les joues brûlantes de la jeune fille, faisant virevolter sa jupe à nouveau. Mais à présent, tout à l'excitation de la course, emportée par le fier Vicente dont tout le corps épousait le sien étroitement, il lui importait peu de montrer ses genoux découverts.

A l'estancia, Vicente sauta le premier à terre et l'aida à descendre. Quand elle fut sur le sol, l'espace d'une seconde, il la garda dans le cercle de ses bras, resserrant la pression de ses mains autour de sa taille, son visage tout près du sien. Un garçon d'écurie accourut. Vicente lâcha la jeune fille, troublée par cette furtive étreinte et par l'intimité forcée de leur chevauchée.

— Me ferez-vous l'honneur de déjeuner avec moi ? demanda-t-il, mi-sérieux, mi-rieur. Le repas sera servi dans un quart d'heure...

Elle disposait tout juste du temps nécessaire pour prendre une douche et échanger sa jupe et son corsage contre une robe plus élégante.

— Désirez-vous un apéritif ? s'enquit Vicente lorsqu'elle l'eut rejoint dans la salle à manger.

— Non merci. L'alcool m'étourdirait. Je ne suis pas encore suffisamment habituée à la chaleur.

Tout au long du repas, Vicente se montra d'une humeur charmante. Il veillait avec soin au bien-être de la jeune fille, prévenant ses moindres désirs. Regina, consciente de l'inutilité d'évoquer à nouveau les sujets litigieux qui les opposaient, se mit au diapason. Elle lui relata sa rencontre avec Lola. Vicente approuva avec chaleur.

— Lola est une artiste de talent. Son mari, Francisco, un collaborateur précieux que je me félicite d'avoir à mes côtés.

Ils parvinrent au dessert sans qu'aucune querelle ne vînt entâcher ce moment agréable. Après le café, Regina se leva.

— Ma grand-mère espère votre visite, cet après-midi. Vous ne la décevrez pas, j'en suis sûr. Les journées lui paraissent si longues maintenant qu'elle est seule...

Il connaissait les arguments propres à toucher la sensibilité de la jeune fille. Comment aurait-elle pu refuser ? Elle lui lança un noir regard qu'il reçut avec impassibilité, et sortit.

Dona Eva lui sembla plus frêle encore que le jour précédent. Le cœur de Regina se serra et elle se promit d'écourter l'entrevue pour ne pas fatiguer la vieille dame. Celle-ci faisait preuve d'une volonté de fer pour donner le change à son entourage, mais sous son apparente sérénité, transparaissait le désespoir qui la rongeait. Elles bavardèrent quelques instants en buvant le thé apporté par Ana.

— Vous en a-t-il coûté beaucoup d'abandonner votre carrière de danseuse ? interrogea soudain Dona Eva.

— Pas le moins du monde ! affirma spontanément la jeune fille, avec une sincérité dont Dona Eva ne soupçonnait heureusement pas la cause.

Cette réponse ravit manifestement la vieille dame. Ainsi, la fiancée de son petit-fils ne nourrissait aucun autre désir que de demeurer en permanence aux côtés de son futur époux... Elle enveloppa Regina d'un regard attendri puis ferma les yeux et appuya sa tête blanche contre le dossier de son fauteuil, d'un air las. Regina prit rapidement congé.

Une semaine s'écoula ainsi, rythmée par ses visites à *Abuela* et à Lola, occupée par de longues baignades dans la piscine de l'estancia et des promenades dans la campagne environnante. La date du mariage approchait. Les préparatifs de la cérémonie s'accéléraient. Regina cherchait en vain une solution pour échapper au piège qui se refermait sur elle. Plusieurs fois, elle éprouva la tentation de tout révéler à Dona Eva, mais les seuls lueurs de joie qui éclairaient de temps à autre les yeux de la vieille dame étaient éveillées par l'évocation de cette union tant désirée ; alors Regina s'en dissuadait. Le sujet avait été soigneusement évité lors des fréquents repas partagés avec Vicente. Il faudrait y revenir très bientôt, se promit-elle. Mais quels arguments nouveaux lui opposerait-elle ? Aucun événement susceptible de changer la situation n'était intervenu.

— Quant me donnerez-vous l'occasion d'éprouver vos qualités de cavalière ?

Regina, absorbée par ses pensées, tressaillit, surprise par l'approche de Vicente derrière elle. Elle se retourna brusquement vers lui.

— M'accordez-vous quelques minutes pour passer un pantalon ?

— Cinq, pas plus, plaisanta-t-il d'un ton charmeur.

— Ne vous attendez pas à des prouesses, l'avertit-elle, cinq minutes plus tard, alors qu'il lui présentait sa monture, un cheval d'aspect robuste et extrêmement paisible.

— Il s'appelle Pétalo. Vous pouvez vous en remettre à lui en toute confiance.

Il l'aida à grimper sur sa selle, ajusta ses étriers, et enfourcha lui-même une jument baie, moins farouche que l'étalon noir.

Ils partirent, d'abord au pas, puis au petit trot, sur un chemin encore inconnu de Regina. Peu à peu, la jeune fille retrouvait les quelques rudiments d'équitation qu'on lui avait inculqués quelques années auparavant et se sentait de plus en plus à l'aise.

Confortablement installée sur le large dos de Pétalo, elle admirait les paysages splendides qu'elle découvrait au fur et à mesure de leur progression. Ils parvinrent à une vaste prairie où paissait un troupeau composé de milliers de têtes de bétail, magnifiques animaux à la robe luisante, d'où émanait une impression de force terrifiante. Un homme à la chevelure et au teint aussi sombres que ceux de Vicente poussa son cheval dans leur direction.

— Voici Francisco Mendoza, annonça Vicente.

— Le mari de Lola ! s'écria Regina, ravie.

— J'ai beaucoup entendu parler de vous, affirma Francisco en tendant sa main à la jeune fille. Lola ne cesse de me chanter vos louanges...

— Je suis très heureuse que Lola veuille bien m'accorder son amitié, répondit Regina avec sincérité. Grâce à elle, j'apprends énormément sur la culture et les personnalités célèbres de ce pays. Nul ne sait parler mieux qu'elle des poètes uruguayens et des héros qui ont combattu pour libérer leur patrie, comme Artigas, dont j'ai vu la statue à Montevideo.

Les deux hommes approuvèrent ses propos et renchérirent sur les qualités de Lola. Francisco, appelé par ses nombreuses tâches, les quitta bientôt, et ils continuèrent leur promenade en devisant joyeusement. Après un passage périlleux où Pétalo éprouva quelque peine à descendre une pente très raide, ils débouchèrent dans une sorte d'arène naturelle, bordant un ravissant cours d'eau. A cet endroit, la rivière devait franchir plusieurs niveaux de rochers, et formait une succession de minuscules cascades, bouillonnantes et rugissantes, avant de retomber dans un lac miniature d'un vert profond.

— Oh, Vicente ! c'est magnifique.

— Je savais que ce lieu vous plairait.

Ils mirent pied à terre pour laisser leurs montures se désaltérer dans l'eau claire, puis s'assirent côte à côte, à l'ombre d'un chêne imposant. Il était dommage de troubler la sérénité ambiante, mais le moment semblait propice pour aborder certains points épineux. Pourtant, il allait falloir user de diplomatie, ne pas entrer dans le vif du sujet sans préambule.

— Vicente...

Abandonnant sa contemplation muette, il tourna son attention vers elle.

— J'ai une faveur à vous demander.

— Vous savez que, dans la mesure du possible, je m'efforcerai d'exaucer tous vos souhaits.

— Lola m'a souvent conviée à prendre le café chez elle, ces jours derniers. M'autorisez-vous à l'inviter à mon tour à l'estancia ?

Il fronça les sourcils d'un air désapprobateur.

— Votre question me surprend beaucoup, répliqua-t-il sèchement.

— Jugez-vous la femme de votre régisseur indigne de s'asseoir à votre table ? lança-t-elle impulsivement, choquée.

Elle aurait voulu retenir ces paroles, mais il était trop tard. Elle venait de commettre une maladresse impardonnable. Il serra les poings et la regarda avec une colère froide qui la terrifia.

— Lola et Francisco m'ont souvent fait le plaisir de venir dîner avec moi, et leur compagnie m'a toujours paru extrêmement attrayante. Vous...

Les mots s'étranglèrent dans sa gorge... Il se détourna avec brusquerie, préférant le silence à l'insulte.

— Je... Je suis désolée, Vicente. J'ai parlé sans réfléchir. Ne m'en tenez pas rigueur. Je me sens très nerveuse, en ce moment...

Comme le *pampero,* la rage de Vicente s'évanouit instantanément.

— Il s'agit d'un malentendu sans gravité, *querida.* Vous vous êtes trompée sur la cause de mon étonnement, concéda-t-il d'une voix douce. Vous serez ma femme dans quelques jours, Regina. Vous êtes chez vous à l'estancia. Vous pouvez y inviter qui bon vous semble, sans avoir à en solliciter l'autorisation. Quant à votre nervosité, reprit-il en souriant, elle est bien naturelle chez une jeune fille à la veille de son mariage...

Regina se dressa d'un bond et lui fit face, décidée à en finir.

— Pour la dernière fois, je vous le répète : je ne me marierai pas avec vous. Jamais. Vous entendez ? Jamais, cria-t-elle, hors d'elle.

Un pli amer se dessina alors sur la bouche de Vicente.

— C'est vrai... La vie que je vous propose n'a rien d'exaltant... Je n'ai qu'une modeste ferme à vous offrir. Qu'est-elle comparée aux plaisirs raffinés et aux mondanités brillantes que vous pourriez connaître à Londres aux côtés de votre... Clive.

Le dédain avec lequel il avait laissé tomber ce prénom fit sortir Régina de ses gonds. Comment osait-il la soupçonner d'une telle futilité ? L'indignation l'aveugla ; elle en oublia toute prudence.

— Vous êtes odieux ! hurla-t-elle en se jetant sur lui.

Elle le martela de ses poings fermés, et ils roulèrent ensemble sur le sol, dans une mêlée confuse. Mais la lutte était inégale. Vicente réussit à la maîtriser en quelques secondes, en la maintenant sous lui, il lui cloua les mains à terre d'une poigne de fer.

— Mais vous êtes une tigresse, toutes griffes dehors, indomptable et furieuse, murmura-t-il, son visage à quelques centimètres du sien.

Etrangement, sa voix s'était adoucie...

— Je saurai bien vous apprivoiser...

Se trouvant dans l'impossibilité de faire le moindre geste, elle tenta de le mordre. Il pesa alors de toute sa force sur elle pour l'immobiliser et, comme pour l'empêcher de nuire, écrasa sa bouche contre la sienne. Jamais Regina n'avait connu de baiser si ardent, si savant, si passionné.

Pourtant, dès qu'il lui permit de reprendre son souffle, elle s'écria :

— Lâchez-moi. Lâchez-moi ou je vous...

Il la regarda d'un air de défi, et cette fois lentement, très lentement, baissa la tête vers elle pour reprendre ses lèvres. Il réunit ses deux poignets dans une seule de ses mains et, de l'autre, commença à parcourir les douces courbes de son corps.

— Non, protesta violemment la jeune fille. Laissez-moi. Je vous déteste !

— Je me suis montré trop indulgent avec vous jusqu'à présent. Désormais, ricana-t-il, pour chaque insulte que vous prononcerez, j'entends obtenir un dédommagement. Vous en connaîtrez le prix : à chaque injure, vous me devrez un baiser...

— Allez au diable !

— Très bien. Vous l'aurez voulu.

De nouveau, ses lèvres se posèrent sur les siennes, mais sans aucune violence, cette fois. Surprise par cette soudaine douceur, la jeune fille oublia de se débattre. Fermant les yeux, elle s'abandonna un instant au plaisir qu'il savait lui dispenser avec art. Alors la bouche quitta la sienne pour effleurer son visage, se poser sur ses yeux, descendre vers le cou et la naissance de la gorge, dévoilée par l'échancrure du corsage. Partout où elle passait, elle éveillait des sensations subtiles, faisait naître des frissons délicieux.

Brusquement, Regina s'aperçut que ses bras étaient libres. Mais, bien loin de s'en servir contre lui, elle les avait instinctivement noués autour de lui, comme pour le retenir. Il glissa une main sous le mince tissu qui la couvrait et caressa lentement sa peau nue. Eperdue, Régina se sentit la proie d'un merveilleux vertige. Elle fit une dernière tentative pour se libérer. Elle se tordit frénétiquement sous lui, se rendant rapidement compte qu'elle obtenait le résultat opposé. Chacun de ses mouvements augmentait le désir de celui qui la retenait prisonnière. Elle renonça à toute résistance, envahie à présent par la panique. Aucun scrupule n'arrêterait Vicente, puisqu'il pensait avoir affaire à une femme avertie...

Soudain, celui-ci roula sur lui-même, et resta là, couché sur le dos, le souffle court, pendant quelques instants. Muette, immobile, Regina évitait soigneusement de lui rappeler sa présence.

Il se remit debout et lui tendit la main, pour l'aider à se relever à son tour.

— Venez. Nous rentrons.

Son corsage froissé, ses cheveux en désordre, ses yeux fiévreux et ses joues brûlantes lui arrachèrent un sourire.

— Enfin... Pour la première fois, vous reviendrez à l'estancia en donnant l'impression d'être vraiment une fiancée comblée. Ne tardons pas, ajouta-t-il en prenant un ton plus sérieux, Maria servira le dîner plus tôt, ce soir. *Abuela* viendra se joindre à nous.

8

A sa grande surprise, en arrivant dans la salle à manger, Regina découvrit la présence d'un autre invité, dont Vicente s'était bien gardé de lui annoncer la venue. Il s'agissait d'un homme d'âge moyen, de belle prestance, mais dont le maintien un peu rigide faisait penser à celui d'un ecclésiastique. L'intuition de la jeune fille se confirma au cours du repas. Celui qu'on lui avait présenté comme le Señor Felipe Armaral, sans plus de précisions, était bien le prêtre chargé de conduire la cérémonie du mariage, de *son* mariage… Ce dîner avait été organisé comme un guet-apens, afin de l'amener, pieds et poings liés, à une situation irréversible, dont elle n'aurait plus aucune chance de s'évader.

Elle jeta un regard fulgurant à Vicente qui lui répondit par un sourire patelin et triomphant. Elle réprima la tentation de lui faire rentrer ce sourire dans la gorge en clamant la vérité publiquement, une bonne fois pour toutes. Mais, Dona Eva, ayant revêtu pour l'occasion une somptueuse robe bleu pâle, paraissait exceptionnellement gaie. Elle menait la conversation tambour battant, et plaisantait, les yeux remplis de douceur et de joie chaque fois qu'ils se posaient sur son petit-fils ou sur Regina. Celle-ci poussa un soupir de résignation. Dona Eva avait réussi à surmonter quelque peu l'immense chagrin causé par la mort de son mari, uniquement pour ne pas troubler le bonheur des futurs époux. Elle n'avait pas glissé sur la dangereuse pente du désespoir dans la seule perspective d'assister à ce jour heureux où les vœux de son cher Roberto et les siens se trouveraient comblés par cette union. Pourtant, Regina avait conscience de la fragilité de cet équilibre : la moindre contrariété pourrait le faire sombrer de nouveau dans l'accablement et le marasme. Jamais elle n'oserait détruire les illusions de la vieille dame. Vicente le savait avec certitude, lui qui déchiffrait sans difficulté tous les secrets de son cœur trop tendre.

— Un peu de vin, *querida* ?

Regina sortit de sa rêverie pour refuser poliment son offre.

— Non merci, chéri.

Elle sut prononcer ce mot avec tant de suavité que lui seul comprit l'intention sarcastique.

— 2 heures de l'après-midi me semblent une heure tout à fait convenable, suggérait Dona Eva, tout à l'organisation des détails de la cérémonie. Ainsi, nous éviterons le terrible soleil de midi et les invités apprécieront mieux la réception qui suivra, dans les jardins. Qu'en pensez-vous ? demanda-t-elle, s'adressant à Regina.

Celle-ci s'empressa d'approuver. En réalité, peu lui importait. Elle se sentait comme un animal pris au piège, contrainte de sourire, de feindre intérêt et même enthousiasme pour un projet qui lui procurait en fait une angoisse insurmontable.

Peu après le dessert, heureusement, Dona Eva étouffa discrètement derrière sa main un léger bâillement. Le Señor Armaral déclara aussitôt que se coucher tôt constituait une saine habitude pour les personnes actives. Vicente se leva pour le raccompagner.

De retour dans sa chambre, Regina s'abandonna à sa rage. Elle fulmina contre cet individu exécrable qui portait la responsabilité de tous les maux qui l'accablaient. Il connaissait pourtant son opinion sur ce ridicule mariage. Elle le lui avait encore répété l'après-midi même !...

Le souvenir de ce qui s'était passé à ce moment-là lui revint alors avec force. Ses joues se colorèrent de rose. Elle était trop honnête pour ne pas reconnaître qu'elle s'était comportée de manière étrange. Si Vicente n'avait pas gardé un parfait contrôle de lui-même, elle aurait succombé au trouble qu'il avait su susciter en elle. Décidément, cet homme lui révélait de nouveaux aspects inconnus de sa personnalité. Jamais elle n'aurait soupçonné qu'elle possédait une telle passion tapie au fond d'elle-même, attendant des circonstances favorables pour apparaître au grand jour.

Pour échapper à ces pensées embarrassantes, elle s'affaira à sa toilette, revêtit sa chemise de nuit et s'allongea sur son lit. Mais le sommeil la fuit. Comme un oiseau voulant prendre son vol et se heurtant sans cesse aux parois de sa cage, son esprit retombait toujours sur les mêmes conclusions. Si elle n'épousait pas Vicente, elle provoquerait le malheur de Dona Eva et celui de Bella. Qui sait quelles conséquences dramatiques en découleraient ?... Or, son amour pour la vieille dame avait augmenté de jour en jour depuis leur première rencontre, jusqu'à se confondre avec celui porté à sa propre grand-mère. Et sa tendresse pour Bella n'avait pas diminué malgré sa conduite déloyale et ses mensonges...

Soudain, elle éprouva une sensation d'étouffement. Elle se leva, passa un léger déshabillé de coton et sortit respirer l'air frais de la nuit.

Mais, là non plus, elle n'obtint pas l'apaisement espéré. Les visages de Clive, de Vicente, de Bella, de James, de Dona Eva tournaient dans sa pauvre tête épuisée, dansant un ballet terrifiant et interminable.

Puis, brusquement, cette terrible confusion s'éclaircit et elle sut avec précision pour quelle solution il lui fallait opter. Elle revint sur ses pas, assurée maintenant de pouvoir dormir paisiblement.

Quand elle atteignit la véranda, une silhouette se détacha de l'ombre et s'avança vers elle. Malgré l'obscurité, elle le reconnut aussitôt.

— Depuis combien de temps m'espionnez-vous? interrogea-t-elle sèchement, mécontente d'avoir été observée à son insu.

Il refusa de se laisser entraîner dans une de leurs interminables querelles.

— Comment peut-on rester enfermé dans sa chambre quand la nuit scintille de toutes ses étoiles?

— Les étoiles brillent seulement pour ceux qui ont le cœur en paix, répliqua-t-elle amèrement.

Il lui prit le bras, la poussa vers les jardins qui luisaient faiblement sous la lune.

— Venez. La douceur de l'air calmera vos préoccupations. Goûtez la tiédeur de la brise sur votre peau. Elle est chargée du parfum des fleurs...

Elle se dégagea brusquement.

— Pardonnez-moi. Je ne suis guère d'humeur romantique, ce soir.

Un long silence, chargé de tension, s'établit entre eux. Elle se décida à le rompre.

— Vicente... Si... Si je consentais à vous épouser...

Il tressaillit mais resta immobile, de peur de l'effaroucher.

— Oui? l'encouragea-t-il. Quand nous serons mariés...

— Ne négligez pas le « si ». Si donc, je consentais à devenir votre femme, aux yeux des autres, évidemment, combien de temps cette union durerait-elle?

— Vous aimeriez savoir combien de temps vous devrez attendre avant de rejoindre Clive? questionna-t-il sèchement.

Elle le toisa avec hauteur.

— Je ne supporterai pas plus longtemps vos sarcasmes. Je ne souhaite pas continuer cette conversation dans ces conditions. Bonne nuit.

Elle tourna les talons, mais fut aussitôt immobilisée par une main ferme.

— Je vous demande d'excuser cette remarque maladroite, déclara-t-il, sur un ton de repentir sincère.

Elle hésita, à demi convaincue seulement.

— Notre mariage se terminera lorsque *Abuela* ne sera plus de ce monde, reprit-il rapidement. Vous connaissez ma grand-mère. Vous avez constaté par vous-même sa faiblesse, son état de santé chancelant.

Elle s'étonna qu'il fût capable d'évoquer ainsi, sans sourciller, une perspective si dramatique.

— Je suis désolée d'insister, mais je désire un engagement formel de votre part : lorsque… lorsque Dona Eva ne sera… plus là, promettez-moi de ne rien faire pour me retenir.

— Pourquoi souhaiterais-je vous retenir ? répliqua-t-il avec froideur et insolence.

— J'ignore les lois en vigueur dans ce pays, poursuivit-elle, adoptant à son tour un ton conciliant. J'aimerais éviter de me réveiller, un matin, enchaînée à vie dans une union de pure convention, où l'amour est absent.

— Rassurez-vous ; l'Uruguay est un pays plus libéral qu'on ne le croit. Une femme peut y obtenir le divorce, sans qu'il lui soit nécessaire d'invoquer une cause précise pour l'obtenir.

Regina laissa échapper un soupir de soulagement.

— Je voudrais éclaircir un autre point, afin qu'aucun malentendu ne subsiste entre nous, continuat-elle en détournant les yeux. Ce mariage devra naturellement rester… Je veux dire… nous ferons chambre à part, n'est-ce pas ? lança-t-elle très vite, en rougissant.

Il sourit de sa confusion, puis se rembrunit.

— Pourtant, cet après-midi... commença-t-il, se ravisant aussitôt devant son expression furieuse. N'ayez aucune crainte, ironisa-t-il. Votre vertu farouche sera épargnée. Je saurai bien trouver ailleurs ce que ma femme me refusera !

Irritée par ses allusions impudentes, elle s'éloigna, décidée à regagner sa chambre. La pensée de la Señora Gomez, dont il n'avait pas été question durant toute cette semaine, se présenta à son esprit, et redoubla son exaspération.

— Vous pouvez aller au diable, maugréa-t-elle à voix basse. C'est le cadet de mes soucis.

— Bonne nuit, *querida,* lui jeta-t-il en se moquant, quand elle atteignit la véranda. Que la nuit vous apporte des songes merveilleux...

— Bonjour, *querida.*

Ce furent les premiers mots qu'elle entendit à son réveil.

Profitant de la lenteur de ses réactions au sortir du sommeil, il s'assit sur le lit et prit le temps de fouiller longuement dans sa poche. Il en retira une épaisse liasse de billets de banque, qu'il lui tendit. Elle frissonna. Que signifiait cette attitude ? Elle garda soigneusement ses deux mains sous le drap pour ne pas toucher à cet argent. Elle n'accepterait même pas une seule pièce de monnaie venant de lui.

— Bella ayant malencontreusement omis de vous donner certains « détails », expliqua-t-il, j'ai conclu que vous ne possédiez sans doute aucune robe convenable pour votre mariage.

Regina dut reconnaître qu'en effet, rien dans sa garde-robe n'était prévu pour ce genre de circonstance. Elle se sentait d'humeur batailleuse, mécontente d'avoir été tirée du sommeil par sa voix ironique.

— Y a-t-il une longueur de voile exigée pour ne

pas déchoir aux yeux du monde, lorsqu'on épouse un Cardenosa? le provoqua-t-elle.

— Vous avez perdu le droit de porter la couleur blanche, selon vos dires, rétorqua-t-il insolemment. Clive vous l'a enlevé. Et d'autres, peut-être, avant lui?

Elle voulut jaillir de son lit pour le gifler, mais elle se souvint à temps qu'elle portait une chemise de nuit transparente. Il mit à profit son embarras pour lui ordonner :

— Habillez-vous. Nous partons dans un quart d'heure.

— Non. Je n'irai pas avec vous, lança-t-elle avec force. Lola m'accompagnera. Disparaissez de ma vue, immédiatement.

Il haussa les épaules, comme s'il se moquait éperdument d'aller avec elle ou non, déposa la liasse sur la table et sortit en claquant la porte.

Lola s'enthousiasma à l'idée de cette expédition en ville. Elle déclara adorer le lèche-vitrines, et promit de se trouver à l'estancia dans une demi-heure.

Le cœur plus léger après avoir bavardé au téléphone avec la jeune femme, Regina vaqua à ses préparatifs. Puis, elle se dirigea vers la véranda pour attendre Lola. Une voiture inconnue d'elle était garée devant la maison. A quelques mètres de là, Vicente participait à une conversation animée avec une personne très brune et très élégante, qui se pendait à son bras dans une pose alanguie. Regina s'arrêta un instant, surprise, puis s'avança résolument vers eux.

— Je suis désolée de vous interrompre, mais je tenais à avertir Vicente de mon départ.

Celui-ci se retourna vers elle, et observa quelques secondes son visage réprobateur avec un demi-sourire.

— Je ne vous ai pas encore présenté Manuela, n'est-ce pas, *querida* ?

Les deux femmes se serrèrent la main sans chaleur. Manuela murmura quelques explications embrouillées au sujet de son emploi du temps surchargé, qui l'avait empêchée jusqu'à présent de se rendre à l'estancia pour saluer la future épouse de Vicente. Mais, affirma-t-elle, elle et Jorge, son mari, se réjouissaient à la perspective d'assister à son mariage.

La petite voiture rouge de Lola fit à ce moment-là une arrivée remarquée. Regina prononça à la hâte quelques mots d'adieu avant de la rejoindre. Durant tout le trajet, absorbée par ses pensées, elle répondit laconiquement au joyeux bavardage de Lola. Ainsi, son intuition ne l'avait pas trompée. Les regards langoureux dont Manuela Gomez enveloppait Vicente révélaient clairement la nature de leurs relations. Comment pouvait-elle manquer de pudeur au point de venir le relancer jusque chez lui ? Elle n'avait même pas ôté sa main de son bras quand Regina était arrivée. Vicente lui avait-il fait des confidences ? Connaissait-elle l'accord secret qui les liait malgré eux ? En tout cas, elle exigerait plus de discrétion à l'avenir, pour ne pas être couverte de ridicule à la face du monde. Si Jorge, le mari de Manuela, acceptait cette situation, ou voulait l'ignorer, Regina ne la considérerait pas avec la même indulgence...

Lola entraîna rapidement son amie vers les meilleures boutiques. Elle se montra précieuse par ses conseils et ses suggestions, lui rappelant qu'elle allait épouser un Cardenosa et ne pouvait donc se satisfaire de la charmante robe courte aperçue dans une vitrine. Regina renonça à ses propres goûts pour se conforter à ce que l'on attendait d'elle. Dona Eva paraissait souhaiter une cérémonie fastueuse, avec une mariée en grande tenue, ses vœux seraient exaucés. Après tout, ce mariage était organisé à son seul bénéfice. Pourtant, quand Lola déplia avec enthousiasme une splendide mantille de dentelle et lui demanda de l'essayer, elle refusa tout net. Certes, il était magnifique, mais elle n'abandonnerait pas sa propre identité jusqu'à adopter cet accessoire. Etourdie par le tourbillon de sensations nouvelles que Vicente provoquait en elle, depuis son arrivée en Uruguay, elle éprouvait parfois quelque peine à retrouver sa propre personnalité, et à conserver un équilibre. Comme un magicien, Vicente lui avait révélé des facettes inconnues de son tempérament. Jamais elle n'avait auparavant atteint de tels excès dans la colère et dans l'émotion. Jamais Clive n'avait suscité en elle de tels débordements. Quand elle avait appris l'existence de sa femme et même de ses enfants, elle ne s'était nullement ruée sur lui pour le frapper. Aucun baiser de Clive n'avait éveillé ce feu dévorant qui l'avait embrasée la veille dans les bras de Vicente...

Qu'était devenue la douce Regina Barrington, maîtresse d'elle-même et de son destin? Tout se passait comme si des volontés étrangères à la sienne la modelaient à leur gré, malgré elle, disposant de sa propre existence. La mantille symbolisait un point de non-retour. Si elle la portait, il ne resterait plus rien de la jeune Anglaise élevée dans les meilleures traditions. Il ne coulerait plus dans ses veines que le sang hispanique dominé par les passions.

Pour ne pas peiner Lola, elle invoqua la nostalgie de son pays.

— Je préférerais un voile comme ceux que revêtent les mariées en Angleterre, plaida-t-elle.

Son amie l'approuva aussitôt, avec chaleur, comprenant combien il était parfois difficile de se sentir seule ainsi, en terre étrangère, loin des siens. Elle traduisit sa demande au vendeur qui s'empressa de les servir.

Elles revinrent épuisées. Lola déposa Regina devant l'estancia, et, malgré les protestations de la jeune fille, s'enfuit, sans attendre, pour accueillir Francisco à son retour.

Eprouvant le besoin de montrer ses achats à quelqu'un, et imaginant sans peine les railleries de Vicente à la vue de la candide robe d'un blanc virginal, elle se dirigea vers les appartements de Dona Eva et pria Ana de l'annoncer.

— Vous êtes revenue, s'écria la vieille dame avec joie, en la voyant entrer chargée de paquets.

— Je viens solliciter votre avis. J'espère que vous ne serez pas déçue par mes choix.

Ana, dévorée de curiosité, poussa de grandes exclamations lorsque le tissu soyeux fut libéré de son emballage. Dona Eva joignit les mains, admirant les minuscules roses de soie ornant le col, les poignets et le bas du vêtement. Quand Regina déploya le voile devant elle, quelques larmes apparurent à ses paupières.

— J'étais enveloppée dans un voile semblable à celui-là, lors de mon propre mariage, se rappela-t-elle avec mélancolie.

Regina confia la robe à Ana et s'assit dans son fauteuil habituel, près de la vieille dame.

— J'ai décidé de regagner ma maison tout de suite après la cérémonie, annonça celle-ci brusquement.

— C'est impossible, protesta la jeune fille aussitôt.

La perspective de se retrouver seule avec Vicente à l'estancia la fit frémir. Mais surtout, son attachement pour Dona Eva avait augmenté jour après jour. Elle appréciait beaucoup leurs rencontres quotidiennes, chaque après-midi.

— Avec qui prendrai-je le thé désormais, si vous m'abandonnez ? plaisanta-t-elle pour cacher sa tristesse.

— C'est très gentil à vous d'essayer de me retenir,

mon enfant, remarqua Dona Eva, mais je ne veux pas m'immiscer dans votre intimité de jeunes mariés. Et puis, mes souvenirs m'attendent là-bas aussi, ajouta-t-elle à voix basse. Vous viendrez me voir, de temps à autre...

Regina s'inclina devant sa volonté et prit congé. L'éloignement de Dona Eva était peut-être préférable, en effet. Plusieurs fois, elle avait aperçu Ana et Maria bavardant ensemble. Les domestiques ne manqueraient pas de juger étrange une jeune mariée dormant seule dans son lit. La rumeur se propagerait rapidement, sans doute, et risquait de parvenir jusqu'aux oreilles de la vieille dame...

Les pensées de Regina revenaient souvent sur ce problème préoccupant. Les attentions permanentes dont Vicente et elle faisaient l'objet rendraient leur absence de relations intimes difficile à dissimuler. Maria ne s'y tromperait pas : elle saurait très vite que rien ne réunissait les nouveaux époux dans le secret de la nuit. Comment Vicente réagirait-il à cette situation ? S'il se sentait blessé dans sa fierté, il exigerait peut-être de devenir réellement son mari...

La veille du jour fatidique, Regina hésita à écrire une lettre à Bella et à James pour les informer de sa rencontre avec le plus merveilleux des Uruguayens, Vicente Cardenosa, et de son mariage avec lui. Elle renonça à ce projet, remettant à une date ultérieure une explication plus approfondie avec Bella. Il serait temps d'évoquer cette union quand elle serait dissoute...

Le lendemain, le ciel d'un bleu intense formait un dais somptueux, plus beau encore que ceux, brodés d'or et d'argent, abritant les mariages royaux. Regina, nerveuse, pâle, effrayée à la perspective d'être, tout au long de cette journée, le point de mire de tant de regards inconnus, appelait la pluie de ses vœux.

Heureusement, le matin, on lui épargna les nombreuses allées et venues des invités à l'estancia. Juana, furtive et silencieuse comme à son habitude, quoique imperceptiblement plus animée qu'à l'accoutumée lui apporta dans sa chambre un plateau garni de mets substantiels auxquels la jeune fille toucha à peine. Elle se contenta seulement de quelques fruits pour y puiser l'énergie nécessaire à supporter une longue épreuve.

Plusieurs fois, elle dut se remettre en mémoire sa résolution de payer la dette de Bella et d'éviter un nouveau chagrin à Dona Eva, pour résister à sa tentation de s'enfuir.

Machinalement, elle effectua avec soin une toilette minutieuse, et accepta l'aide de Juana, timide et émue, pour se coiffer, se maquiller et s'habiller. Tournant ensuite lentement devant le miroir, elle examina d'un œil critique tous les détails de sa tenue. Sa pâleur la frappa. Elle serait mise sur le compte d'une émotion bien compréhensible chez une jeune mariée. Quel destin étrange ! songea-t-elle, le cœur serré, en observant cette silhouette mince tout environnée de blanc, le visage émergeant à peine d'un flot de dentelles...

Quelques coups frappés à la porte la rappelèrent à la réalité. Francisco Mendoza, très élégant, venait lui offrir son bras pour la conduire jusqu'à la petite chapelle du village. Celle-ci, ravissante sous le soleil radieux, ne parvenait pas à contenir tous ceux qui tentaient d'y pénétrer.

Tout le reste de la cérémonie se déroula, pour Regina, dans une sorte de brouillard. Quand elle sortit de la pénombre de l'église, aux côtés de son époux, la lumière vive l'ébouit. Une foule de gens souriants, dans leurs plus beaux atours, murmurant des félicitations, se pressait autour d'eux. Elle se serra contre Vicente comme pour lui demander refuge, et il entoura ses épaules, dans un geste de protection. Il l'enveloppa d'un long regard où elle crut discerner de la fierté et de la tendresse. Mais elle se trompait, sans doute. Ses yeux exprimaient seulement le triomphe d'avoir réussi à l'amener là où il le souhaitait, rien d'autre.

Elle parvint à sourire, à prendre les mains tendues dans les siennes, à remercier avec chaleur tous ceux qui leur présentaient des vœux de bonheur.

La réception qui suivit fut moins éprouvante qu'elle ne l'avait craint. Vicente et Lola se relayaient auprès d'elle, ne la laissant jamais seule ; elle leur sut gré de cette attention. Dona Eva, resplendissante et très entourée, se retournait souvent vers elle, lui adressant de petits gestes complices et affectueux qui lui réchauffaient le cœur. La joie de la vieille dame représentait sa seule récompense, et justifiait à elle seule son sacrifice. Quoi qu'il advînt maintenant, sa conscience serait en paix.

Au milieu de cette foule en liesse, où elle ne connaissait que quelques rares visages, elle remarqua un homme aux traits tirés et au regard vide. Lorsqu'il s'avança vers eux, Vicente lui serra la main avec une chaleur toute particulière.

— Chérie, voici Jorge Gomez, le mari de Manuela.

— Félicitations, mon cher Vicente, s'écria celui-ci. Votre femme est magnifique. Vous allez faire des envieux.

— Merci, Jorge. Je partage votre opinion. Ma femme est magnifique, en effet, répondit Vicente en saisissant avec force la main de Regina.

Quel comédien accompli ! pensa la jeune fille. On pourrait presque se laisser convaincre par la sincérité de sa voix... Elle reporta son attention sur Jorge et s'interrogea sur la cause de la détresse qui transparaissait sous sa gaieté de façade. Connaissait-il son infortune ? Pourquoi alors semblait-il en si bons termes avec Vicente ? Une raison mystérieuse l'empêchait-elle de réagir et d'exiger la fin de sa liaison avec sa femme ? De sombres intrigues se cachaient-elles derrière cette cordialité affichée ?

Les réjouissances tiraient à leur fin. Peu à peu, les invités prirent congé. Quand le dernier d'entre eux eut disparu, Vicente se pencha vers la jeune fille.

— *Abuela,* va nous quitter, maintenant. Voulez-vous venir la saluer avec moi ? demanda-t-il d'une voix douce.

Ils accompagnèrent la vieille dame jusqu'à une voiture où un chauffeur l'attendait. Dona Eva étreignit son petit-fils avec émotion.

— J'ai vécu aujourd'hui une des plus belles journées de ma vie. Je remercie Dieu de m'avoir permis d'y assister. Ton grand-père aurait été fier de toi, Vicente, et comblé. Tu as exaucé son vœu le plus cher.

Puis elle se tourna vers Regina, et, à son tour, l'embrassa avec affection.

— Je suis heureuse de vous compter parmi les membres de la famille, et de pouvoir vous appeler ma petite-fille, déclara-t-elle faiblement.

Regina essuya furtivement une larme et agita sa main jusqu'à ce que le véhicule disparût au bas de la pente.

Vicente sortit un mouchoir immaculé de sa poche et en tamponna doucement les yeux de sa femme.

— Ne soyez pas triste, *querida. Abuela* a connu grâce à nous son premier jour de bonheur depuis longtemps. Nous lui rendrons visite très bientôt. Venez plutôt avec moi. J'ai quelque chose à vous montrer.

— A me montrer ? Est-ce urgent ? J'aimerais me changer, tout d'abord.

— Non, non. Vous portez au contraire la tenue idéale pour découvrir votre cadeau de mariage...

9

Regina, muette de surprise, contempla quelques instants en silence, la petite Mini rouge, flambant neuve, offerte par Vicente.

— Oh, Vicente… Elle est magnifique ! Pourquoi ce présent ? Vous n'auriez pas dû…

Il s'était souvenu du jour de leur première rencontre et de l'aveu qu'elle lui avait fait : pour payer son billet d'avion, elle avait été obligée de vendre sa voiture. Depuis, elle lui avait souvent décrit sa vie à Londres, et les services rendus par la petite automobile, prompte à se glisser adroitement dans des embouteillages citadins. Quelle délicate attention !

Pancho, le garçon d'écurie, et quelques jeunes gens employés à l'estancia, s'étaient réunis autour du véhicule, et considéraient la scène d'un œil attendri.

Vicente entoura tendrement de son bras les épaules de Regina.

— J'espère que vous vous accorderez avec elle aussi bien qu'avec la précédente. La coutume exige que le marié donne un présent à sa femme le jour de leurs noces. Voici le mien.

Ainsi, il avait obéi à la tradition, c'était là sa seule motivation. Il avait voulu l'éblouir par ce cadeau coûteux, et montrer à tous sa générosité. Si l'amour se mesurait à l'importance de ce que l'on offrait, personne ne douterait plus de celui de Vicente pour sa femme… Chaque geste recélait un calcul, chez cet homme froid et habile. Rien n'était laissé au hasard. Si elle en croyait les regards émerveillés des membres du personnel regroupés là, il avait atteint son but.

Elle le remercia froidement.

— Me permettez-vous maintenant d'aller enlever cette tenue incommode ?

— Bien sûr. Je vous accompagne.

Il la maintenait toujours contre lui et la guida ainsi jusqu'au hall. Parvenus devant le couloir qu'elle prenait habituellement, il la fit pivoter et la poussa dans une autre direction. La crainte surgit aussitôt dans son cœur.

— Où m'emmenez-vous ?

— Vous êtes la Señora Cardenosa, désormais. Vous ne pouvez plus dormir dans votre chambre de jeune fille.

Regina sentit la panique l'envahir. Elle s'exhorta au calme. Quel nouveau piège l'attendait ?

Il s'arrêta devant une porte, l'ouvrit et s'effaça devant elle. Elle entra avec précaution et découvrit une pièce entièrement tendue de blanc : rideaux blancs, couvre-lit blanc, bouquets de fleurs blanches.

Comme elle restait sur le seuil, il l'encouragea :

— Vous êtes chez vous...

Il pénétra à sa suite et s'appuya contre le mur, observant ses réactions. Elle examina l'intérieur des placards, y découvrit ses affaires personnelles, transportées durant son absence. Elle admira la vaste salle de bains attenante, pourvue d'un miroir immense recouvrant entièrement l'un des murs et poussa avec curiosité une troisième porte. Elle donnait sur une autre chambre, très claire. Elle exhala un long soupir de soulagement. Le problème soulevé par la curiosité des domestiques n'avait pas échappé à Vicente. La distance séparant leurs chambres précédentes le rendait insoluble. Il avait résolu la difficulté avec élégance.

Elle remarqua l'absence de toute serrure ou loquet

sur la porte de séparation. Elle fronça les sourcils, retint un commentaire acerbe, et tapota distraitement sur le chambranle.

— Certains égards, tels que frapper avant d'entrer, ne vous sont pas très familiers, manifestement, glissa-t-elle d'un ton léger. Il m'arrive quelquefois d'éprouver le besoin de m'isoler, ou de me mettre à l'aise. Comment me prémunir contre vos arrivées inopinées ?

Son rire fit vibrer les vases de cristal où s'épanouissaient les fleurs uniformément blanches. Devant l'irritation déclenchée par son accès d'hilarité, il prit une mine faussement contrite.

— Vous craignez que je vous surprenne en tenue légère ? demanda-t-il avec des traces de gaieté dans la voix. Désirez-vous que je m'engage solennellement à frapper si, pour une raison... impérative, je me vois dans l'obligation de troubler votre intimité ?

Elle lui jeta un regard sévère, incapable de discerner s'il parlait sérieusement ou s'il plaisantait. Ne voulant pas céder à l'exaspération qui la gagnait, elle lui désigna la sortie.

— J'aimerais me reposer quelques instants avant le dîner, et passer une robe plus... simple.

Une fois seule, elle enleva sa tenue de cérémonie, comme on dépose un fardeau, et la rangea avec soin dans l'un des placards. Elle la considéra avec mélancolie, songeant à tous les rêves de jeunes filles romantiques attendant impatiemment le jour où elles se vêtiraient de blanc à leur tour.

« Je suis mariée », pensa-t-elle, comme pour s'en persuader elle-même. « J'ai vécu ce moment tant espéré où les cloches sonnent pour annoncer au monde son bonheur. Cependant, ce soir, je dormirai seule dans mon lit. Rien n'a véritablement changé dans ma vie... sauf mon nom et ma chambre, ajouta-t-elle pour elle-même, en souriant.

Elle n'avait presque rien mangé pendant la réception, aussi fit-elle honneur au dîner. Vicente évita avec soin toute allusion ou remarque susceptible de l'irriter. Il se mit en frais pour la distraire, lui relatant des anecdotes amusantes, lui décrivant avec force détails la rude existence des gauchos dans la pampa.

Après le dessert, il posa sa main sur la sienne.

— Vous avez besoin de repos. Vous avez vécu une journée épuisante. Allez dormir. Je ne tarderai pas à vous imiter.

— Bonne nuit, Vicente.

— Bonne nuit, *querida*.

Elle congédia Juana, qui attendait ses ordres, incapable de supporter son sourire chargé de sous-entendus. Elle se glissa dans la vaste baignoire ovale avec un soupir d'aise, ajouta dans l'eau tiède des sels délicieusement parfumés, et appuya sa tête contre le rebord, les yeux fermés. Elle n'avait plus rien à craindre. Tout s'était passé le mieux du monde.

Après s'être brossé les dents et les cheveux, avoir mis une chemise de nuit légère qu'elle choisit de couleur vert tendre, pour trancher sur tout ce blanc, elle se dirigea vers sa chambre.

Un cri de surprise lui échappa.

Pieds et torse nus, ne portant qu'un léger pantalon de coton, Vicente était allongé sur son lit, détendu et souriant. Il regarda avec une satisfaction non dissimulée les courbes élégantes du corps de la jeune fille, perceptibles sous le mince tissu qui les recouvrait, sa longue chevelure blonde tombant sur ses épaules.

— Cette couleur vous va à ravir.

— Que faites-vous ici ? Sortez immédiatement ! cria-t-elle, le cœur battant.

— Quelle délicieuse épouse, sachant trouver les mots de bienvenue pour accueillir son mari, persifla-t-il.

Elle ouvrit la porte à la volée, et répéta avec force :

— Sortez.

118

Il se leva, prit un air étonné.

— J'ai frappé, pourtant, je vous assure...

— Si vous ne quittez pas cette chambre dans les plus brefs délais... commença-t-elle, blême de fureur.

— Peut-être pourriez-vous me demander, avant cela, la raison de ma présence ici ? l'interrompit-il.

Il se pencha vers un fauteuil, y saisit un paquet assez volumineux, enveloppé d'une faveur bleue, que Regina n'avait pas remarqué.

— Je suis seulement venu vous apporter cela.

La jeune fille restait immobile, méfiante, les sourcils froncés.

— Il ne risque pas de vous mordre ou d'exploser, je m'en porte garant. Ne voulez-vous pas savoir ce qu'il contient ?

Regina dénoua le ruban, retira le papier et découvrit un magnifique tableau représentant son lieu de prédilection, près de la rivière. On y voyait le bosquet d'arbres, les fleurs pourpres, le saule pleureur, le sycomore et même un martin-pêcheur. Elle le tint à bout de bras plusieurs minutes, muette de ravissement.

— Oh, Vicente ! furent les seules paroles qu'elle parvint à articuler.

La peinture réussissait à rendre exactement l'atmosphère régnant en cet endroit habité par le calme et la beauté.

— Pourquoi ? interrogea-t-elle enfin, en se tournant vers lui, très émue.

— Pourquoi ? répéta-t-il, très grave soudain. Pour vous remercier de votre attitude envers *Abuela*.

— Ce n'était pas nécessaire. La joie de Dona Eva a constitué pour moi le plus beau des remerciements. Je l'aime comme ma propre grand-mère.

— Je sais, remarqua-t-il brièvement. Je désirais aussi vous offrir un cadeau moins... voyant qu'une voiture, plus personnel, comme un secret partagé

119

entre nous... J'ai demandé à Lola de le peindre pour vous.

— Il est splendide, vraiment.

Les yeux de Regina se posèrent à nouveau sur le tableau. Vicente avait deviné l'importance qu'elle attachait à ce refuge contre l'agitation et les bruits du monde. Il y avait emmené Lola. Celle-ci avait certainement fourni un rude travail pour achever son œuvre à temps. Ils s'étaient faits complices tous les deux, pour lui donner ce présent superbe, qui la touchait plus que n'importe quel objet de grand prix. Débordant de reconnaissance, retrouvant sa spontanéité de jeune fille toute simple, elle se haussa sur la pointe des pieds et déposa un doux baiser sur la joue de Vicente.

— Merci. Rien ne pouvait me faire plus plaisir.

Il se figea soudain.

— En êtes-vous bien sûre, Regina ? murmura-t-il.

Comprenant soudain à quoi il faisait allusion, elle s'empourpra violemment. Alors il s'écarta brusquement d'elle ; la porte claqua en se refermant derrière lui.

Au matin, quand elle s'éveilla, elle éprouva de la peine à rassembler ses esprits. Cette chambre inconnue lui parut étrange, tout d'abord. Elle contempla un instant l'anneau d'or qui brillait à sa main gauche, à côté du solitaire reçu quelques semaines plus tôt. Un bruit de pas dans le couloir annonça l'arrivée de Juana. Elle s'empressa de simuler un grand désordre dans la literie, de creuser le deuxième oreiller avec son poing, pour imiter l'emplacement d'une tête.

Sur le plateau apporté par la servante, deux tasses étaient rangées côte à côte.

La jeune fille but son thé tout en admirant une fois de plus le tableau peint par Lola, provisoirement posé sur une chaise. Il lui faudrait penser à téléphoner à son amie, pour la remercier...

Vicente arriva, arborant un air sombre. La nuit

n'avait pas adouci sa mauvaise humeur. Il grommela une vague réponse quand elle le salua avec amabilité. Elle était résolue à se montrer agréable, quoi qu'il advînt. Il s'assit sur le bord du lit et se servit une tasse de thé, en silence. Elle s'absorba dans la confection de ses tartines.

— Nous avons décidé d'un commun accord de ne pas partir en voyage de noces, déclara-t-il tout à coup. Cependant, on trouverait suspect que je vaque à mes occupations habituelles dès le lendemain de mon mariage. Nous devrons donc passer ensemble la plus grande partie de cette semaine.

Cette perspective ne lui procurait manifestement aucune joie. Quel charmant mari elle avait épousé là ! Quelle vie enchanteresse elle allait connaître s'il manifestait tous les matins de telles dispositions ! Il oubliait qu'il était seul responsable de cette incroyable union. Elle lui adressa son plus charmant sourire.

— Bien sûr. Je comprends, affirma-t-elle.

— Très bien. Tenez-vous prête dans une demi-heure. Nous irons faire une promenade à cheval.

Abandonnant sa tasse pleine, il partit sans attendre de réponse.

Pourtant, son mécontentement matinal dissipé, il se montra, tout au long des journées qui suivirent, un agréable compagnon. Chevauchées, baignades, randonnées en voiture, il se faisait un devoir de la mener de plaisir en plaisir. Il lui apprenait peu à peu à aimer ce pays magnifique. Il conservait un caractère égal, charmeur et léger, et elle s'efforçait de l'imiter. Plusieurs fois, de grands éclats de rire les avaient réunis, pendant un court instant. Pourtant, chacun était conscient de la fragilité de cet accord. S'ils avaient oublié provisoirement leur méfiance réciproque, leurs querelles interminables, le moindre incident pourrait déclencher un nouvel accès de rage, une nouvelle flambée de colère.

Le quatrième jour, un homme, ignorant le récent

mariage de Vicente, arriva de Tacurembo, la région voisine, pour régler certaines affaires. Regina appréciait ces quelques heures de solitude qui s'offraient à elle. Elle se dirigea aussitôt vers « son » lieu, près de la rivière. Ravie, elle y retrouva le silence et la paix dans lesquels elle aimait à se baigner, comme dans un flot vivifiant, source de forces nouvelles.

Elle s'allongea sur le ventre, le nez au ras des petites fleurs parfumées, et épia, entre les hautes herbes, les va-et-vient des insectes et des oiseaux. Soudain, descendant lentement le cours de l'eau, une cane, suivie par ses petits en file indienne, fit une apparition majestueuse. Le soleil miroitait sur son plumage où le bleu et le vert profond se côtoyaient. Quelques bribes d'une ancienne ballade apprise durant son enfance lui revinrent en mémoire. Elle commença à en fredonner quelques vers.

— Quelle belle mélodie !

Elle se retourna brusquement, découvrant Vicente derrière elle. Elle ne l'avait pas entendu venir. Elle rougit de confusion, comme un enfant pris en faute.

— Non, non. Ne soyez pas embarrassée. J'ai éprouvé un grand plaisir à vous écouter. Vous paraissiez presque heureuse...

Elle le regarda avec gravité et répondit impulsivement :

— Peut-être le suis-je, en effet.

Elle n'esquissa aucun mouvement de recul lorsqu'il se laissa tomber près d'elle et mit sa main sur son épaule.

— Pour vous récompenser de votre franchise, je vous raccompagne à la maison et je vous offre un très grand verre de jus d'orange glacé, plaisanta-t-il.

Ils éclatèrent de rire, ensemble.

— Votre visiteur est parti ? s'enquit-elle.

— J'ai écourté notre entrevue. Rien ni personne ne doit interrompre notre tête-à-tête. Nous nous sommes donné un temps pour mieux nous connaître. Ne le gaspillons pas.

Elle s'interdit de se laisser émouvoir par ces paroles. Il s'agissait sans doute d'une plaisanterie supplémentaire...

A l'estancia, Juana les accueillit avec une lettre venant d'Angleterre à la main. Vicente la saisit avant Regina, observa l'enveloppe avec les sourcils froncés, puis la lui remit à contrecœur et s'éloigna, l'air contrarié. La jeune fille s'installa dans un des fauteuils du salon, pour en prendre connaissance en toute tranquillité. Quelques instants plus tard, Vicente vint la rejoindre. Les feuillets dépliés sur les genoux, les yeux dans le vague, blême, elle ne leva pas la tête à son approche.

— Que se passe-t-il ? Votre sœur est-elle malade ?

Regina sursauta sans répondre. Craignant le pire, il s'empara de la missive avant qu'elle ait pu l'en empêcher, et la parcourut. Après quelques lignes, il examina la signature. Le message ne provenait pas de Bella mais de Clive. Celui-ci informait la jeune fille qu'après avoir trouvé son appartement occupé par de nouveaux locataires, il s'était précipité à Wellington. Il n'y avait pas vu Bella, sortie pour faire des courses, mais James, cloué au lit par une grippe ; ce dernier avait découvert dans un tiroir la lettre arrivée quelques jours plus tôt d'Amérique du Sud, et lui avait communiqué son adresse. Il parlait de son chagrin de la savoir si loin, lui demandait de revenir très vite car il l'aimait de toutes ses forces, et, heureuse nouvelle, lui apprenait qu'Irène avait enfin consenti à divorcer.

— Ainsi, votre bien-aimé est désormais en mesure de vous rendre la respectabilité qu'il vous avait ôtée ! Vous avez sans doute hâte de porter son nom...

— Je... commença-t-elle faiblement.

— Hélas, trop tard ! Vous voilà mariée à votre tour, maintenant, ricana-t-il amèrement, les poings serrés. Retenez bien ceci : si votre... Clive n'éprouve aucun scrupule à changer de femme avec autant d'aisance, un Cardenosa, lui, n'agit pas de la même manière. Un Cardenosa ne trahit jamais ses engagements... affirma-t-il avec violence avant de claquer la porte derrière lui.

Décidément, les portes subissaient une rude épreuve, ces temps-ci...

Sans doute craignait-il de la voir disparaître sitôt la lettre lue. Un signe de Clive et elle s'élancerait, sans réfléchir, vers le premier avion en direction de l'Angleterre, selon lui... Elle détruirait d'un seul geste tout l'édifice construit à si grand-peine autour de Dona Eva pour la protéger, le laissant se débattre seul au milieu de ses ruines. Il entretenait donc une bien piètre opinion d'elle. Elle aussi connaissait la valeur de la parole donnée et savait y rester fidèle.

Mais, surtout, il avait faussement interprété son silence. Il l'avait crue accablée, brûlant d'impatience de rejoindre Clive. Pourtant, une cause bien différente avait provoqué son mutisme. La lecture du message l'avait au contraire éclairée sur ses sentiments : elle ne ressentait plus aucun amour pour Clive. Cette brusque découverte l'avait bouleversée. A la vue de l'écriture de Clive, la joie ne l'avait pas submergée, comme elle aurait pu s'y attendre. Elle avait constaté avec surprise qu'il avait été tout à fait absent de ses préoccupations, ces jours derniers. Possédait-elle un cœur si inconstant ? Ou n'avait-elle jamais vraiment aimé Clive ?

Elle passa la main sur son front, comme pour éclaircir la confusion de son esprit. Longtemps, elle resta assise là, troublée.

Son inexpérience et sa naïveté l'avaient induite en erreur. Ses sentiments pour Clive n'avaient jamais eu la force de ceux que l'on éprouvait envers l'homme destiné à partager sa vie. Répondant à la question de Vicente, quelques instants auparavant, elle avait reconnu être heureuse. Ce bonheur prouvait à l'évidence que sa séparation avec Clive ne provoquait aucune souffrance en elle. Les caresses et les baisers de Vicente auraient-ils éveillé un aussi vif plaisir si le souvenir d'un autre avait hanté sa mémoire ? Elle avait confondu ses premières émotions de jeune fille romantique avec une passion véritable.

Elle regagna sa chambre, consciente d'avoir tourné une page importante du livre de sa vie. D'autres épreuves l'attendaient. Les derniers mots de Vicente ressurgirent en son esprit. Il la menaçait de refuser le divorce, le moment venu. Pourtant, curieusement, la jeune fille n'en éprouvait pas une trop vive inquiétude. Ces paroles lui avaient échappé dans le feu de la colère. Elle attendrait qu'il ait retrouvé une humeur plus sereine pour aborder ce sujet à nouveau. Pourquoi avait-il réagi si violemment ? L'idée de la perdre lui était-elle insupportable ? Son cœur abritait-il un peu d'affection pour elle ? Ou était-il simplement furieux parce que ses plans avaient été dérangés et la tranquillité de sa grand-mère remise en cause ?

Elle choisit dans sa garde-robe un ensemble vaporeux d'un vert lumineux, qui mettait son teint pâle et sa blondeur en valeur.

C'est à peine s'il la regarda... Les lèvres serrées, le regard glacé, il resta immobile et muet quand elle pénétra dans la salle à manger. Maria, éperdue, ne sachant plus à quel saint se vouer, roulait des yeux effrayés et multipliait les mimiques interrogatives par-dessus l'épaule de son maître. Regina ne put s'empêcher de sourire.

— Quelque chose vous amuse ?

Le grondement de sa voix consterna Maria qui s'enfuit en toute hâte.

— Non. Je...

— Recevoir des nouvelles de votre amant semble avoir développé en vous de joyeuses dispositions. Me

125

faudra-t-il supporter désormais en permanence ce sourire niais sur votre visage ?

Elle se leva en silence et se dirigea vers la porte. Mais il la rattrapa, la ramena à la table sans ménagements et l'obligea à s'asseoir à nouveau sur sa chaise.

— Vous êtes ma femme, même si cela ne signifie rien pour vous. Je vous saurais gré de tenir votre place. Terminez votre repas et surveillez votre attitude. Ni Maria, ni aucun des membres du personnel ne doit se douter que, depuis la réception de la lettre de votre amant, la seule perspective de partager un repas avec moi vous répugne.

A quoi bon répliquer ? La colère le rendrait sourd à tout argument. Elle acheva le contenu de son assiette avec rapidité. C'était le seul moyen pour en finir avec ce lugubre tête-à-tête. Plus un mot ne fut échangé jusqu'à la fin du dîner.

De retour dans sa chambre, elle s'allongea sur son lit. La nuit était exceptionnellement chaude, l'atmosphère très lourde, chargée d'électricité. Elle attribua sa nervosité à la tension due aux derniers événements et tomba dans un sommeil agité, traversé par des images effrayantes.

Un peu plus tard, elle s'éveilla tout à fait, le cœur battant et le front en sueur. Elle comprit aussitôt la raison de son angoisse : un éclair zébra le ciel, éclairant la pièce d'une lueur blafarde. Elle étouffa un cri, se pelotonna sous ses draps, enfouit sa tête sous l'oreiller. Mais l'orage redoubla de violence. Les coups de tonnerre ébranlaient la terre. Elle en ressentait les vibrations jusqu'au tréfonds de son corps. Elle se retenait à grand-peine d'hurler sa frayer. Petite fille terrifiée, les oreilles assourdies par une déflagration terrible, hantée par les visages sans vie de ses parents, elle se retrouvait seule au sein de la tourmente, sans personne pour la protéger.

Le fracas du tonnerre se rapprochait, devenait un

roulement continu, insupportable. A demi inconsciente, elle bondit de son refuge dérisoire, le visage ruisselant de larmes, et se précipita vers la chambre contiguë, affolée, son bras abritant ses yeux de la lumière aveuglante des éclairs. Elle ouvrit la porte à la volée.

— Vicente, j'ai peur. J'ai tellement peur. Ne me laissez pas seule, je vous en prie...

Sanglotant convulsivement, elle courut dans l'obscurité et il la reçut contre lui, lui fit un rempart de ses bras, lui ménagea une place à côté de lui.

— Là, là. Ne craignez rien. Je suis là. Il ne vous arrivera rien. Calmez-vous.

A mots entrecoupés, la voix altérée par les pleurs, elle lui raconta l'accident tragique. A chaque nouveau grondement, elle se serrait un peu plus contre lui, oubliant que seul le très mince tissu de sa chemise de nuit séparait leurs nudités. Il la caressa lentement, en prononçant des paroles d'apaisement. Sa main descendit le long de son corps, effleurant son dos, pour se poser au creux des reins. L'orage parut s'éloigner un peu.

— Je... Je suis désolée de vous avoir dérangé, balbutia-t-elle.

— Je suis votre mari. Je vous dois aide et protection ! plaisanta-t-il gentiment.

Ses doigts continuaient leur exploration, soulevant des vagues de frissons sur leur passage. Encore bouleversée, Regina ne trouvait pas la force de le repousser. Un nouvel éclair illumina fugitivement le contour des objets qui les entouraient. Totalement reprise par sa terreur, elle se blottit plus fort contre lui, entourant ses épaules, le maintenant contre elle, son visage caché dans son cou.

— Petite fille... Ma douce petite fille, murmura-t-il.

Il embrassa ses cheveux, son front, puis ses lèvres qui s'ouvrirent sans résistance.

Alors la tempête ne fut plus à l'extérieur, mais à l'intérieur d'elle-même. Elle se déchaîna avec violence. La tête renversée, le souffle court, elle ne protesta pas lorsque Vicente arracha la frêle barrière de sa chemise de nuit.

— Vicente... Vicente, appela-t-elle, dans son désarroi.

— Chut... Ne dites rien, chuchota sa voix à son oreille.

Il l'avait renversée sous lui, et sa bouche, attentive et experte, parcourait chaque parcelle de sa peau nue, s'attardant sur les endroits les plus sensibles. Elle gémit, engloutie dans les ondes de plaisir qu'il faisait naître en elle. Soudain, elle agrippa son poignet et se souleva vers lui.

— Vicente... Je... je n'ai jamais connu un autre homme avant vous, avoua-t-elle timidement.

Il la regarda fixement, hésitant à la croire. Pourtant, quelque chose dans son intonation lui révéla qu'elle était sincère.

— Mon amour...

Il couvrit son visage de baisers, la pressa contre lui avec ardeur. Il se fit plus tendre encore, plus attentionné, dévoilant des trésors insoupçonnables de patience et de douceur. Lentement, avec art, il la guida vers le moment où il s'unirait totalement à elle. Elle s'abandonna tout à fait, confiante, heureuse de devenir femme entre ses bras.

10

Au matin, le vent avait balayé les nuages. Dans un ciel uniformément bleu, le soleil, déjà chaud, séchait les dernières traces d'humidité, comme pour effacer jusqu'au souvenir de l'orage.

Regina se réveilla seule dans le grand lit. Elle regarda avec tendresse l'oreiller conservant l'empreinte de la tête de Vicente. Ce matin, il serait inutile de simuler le désordre dans la literie à l'intention de Juana. Les signes de leurs ébats se lisaient clairement dans la chambre. A cette pensée, elle retomba en arrière, alanguie et souriante. Elle n'éprouvait aucun regret. Jamais elle n'aurait imaginé que Vicente pût recéler une telle douceur, une telle délicatesse. Cet homme, qui savait à l'occasion se montrer brutal et même violent, lui avait fait découvrir dans l'émerveillement, la beauté de l'union entre deux êtres. Malgré son inexpérience, elle avait perçu le contrôle parfait qu'il avait gardé sur son propre désir pour se préoccuper uniquement d'elle. Le rose monta à ses joues lorsqu'elle se surprit à penser : la prochaine fois...

Ce rose vira au rouge quand Vicente entra dans la pièce. A son visage fermé, ses mâchoires serrées, elle devina qu'il se trouvait, ce matin, dans une humeur présageant la tempête. Elle frémit, n'osa ouvrir la bouche de peur de prononcer un mot maladroit.

— Comme vous devez me détester, aujourd'hui ! s'exclama-t-il d'un ton rogue.

— Vous détester ? répéta-t-elle, sans comprendre.

— Vous ne me pardonnerez jamais d'avoir pris cette nuit ce que vous conserviez si précieusement pour ce cher Clive...

Stupéfaite, elle le fixa sans répondre. La dureté de sa voix formait un contraste surprenant avec les murmures câlins de la nuit. Etait-ce le même homme ? Celui qui la toisait maintenant avec froideur, en ennemi, l'avait-il enveloppée de ses bras protecteurs en lui chuchotant des paroles d'encouragement à l'oreille ?

— Comment oserais-je vous adresser le moindre reproche quand c'est moi qui suis venue me jeter dans votre lit ? Je ne suis pas inconséquente au point de faire peser sur vous toute la responsabilité de ce qui s'est passé...

Elle avala sa salive et s'absorba dans l'observation de la broderie ornant le drap. Elle sentait son regard glacé peser sur elle.

— La peur m'a fait perdre la tête, continua-t-elle avec effort. Il m'est impossible de rester seule pendant un orage. Bien sûr, j'ai créé ainsi une... une... situation... bégaya-t-elle, embarrassée. Je veux dire... aucun homme normal n'y aurait résisté, je suppose...

Une lueur d'ironie s'alluma dans les yeux de Vicente.

— Croyez-moi, je n'ai pas tenté une seconde de résister. Au contraire... Votre frayeur a servi mes plans.

— Vos plans ?

Le geste de surprise qu'elle esquissa rejeta le drap qu'elle maintenait contre elle, et découvrit ses épaules nues. Elle s'empressa de le remonter.

— Apprenez, petite fille candide, que cet orage a seulement précipité les événements. Depuis la première minute où je vous ai vue, je savais que vous seriez à moi, un jour.

Abasourdie par cette révélation, Regina balbutia quelques paroles incohérentes.

— Mais... Pourtant... Votre engagement... Notre accord...

Puis, mesurant pleinement l'étendue de son machiavélisme, la fureur la submergea. Elle ressentit le besoin de le blesser à son tour, de démanteler cette façade d'indifférence et d'impassibilité qu'il lui opposait.

— Evidemment, railla-t-elle. Vous aviez payé, n'est-ce pas ? Vous aviez acheté, très cher, une épouse... anglaise de surcroît, une marchandise de luxe, comme on achetait autrefois une esclave au marché. Cet argent vous donnait le droit de la coucher dans votre lit quand bon vous semblait. Peu importait d'ailleurs qui servirait vos plaisirs, ma sœur, moi, ou une autre...

— Bella ne m'a jamais inspiré la moindre étincelle de désir, répliqua-t-il avec un calme imperturbable.

— Vous l'auriez cependant contrainte à en passer par vos exigences, cria-t-elle, au comble de l'exaspération.

La réponse tomba, tranchante, péremptoire.

— Non.

La brièveté du mot, la fermeté du ton stoppa net l'élan de Regina.

— Je n'ai, à aucun moment, nourri l'intention de faire de Bella ni ma maîtresse ni ma femme. La perfection de sa beauté froide, qu'aucune émotion ne semblait pouvoir troubler, n'a jamais suscité en moi le moindre enthousiasme.

Le drap glissa tout à fait, mais cette fois, Regina ne le remarqua même pas. Sa stupeur était trop grande. Elle répéta lentement, syllabe après syllabe.

— Vous n'avez jamais eu l'intention d'épouser Bella ?

— Jamais.

Plusieurs interminables secondes s'écoulèrent dans le silence le plus total.

— Vous m'avez menti depuis le début ? demanda-t-elle d'une voix sans timbre, refusant de se rendre à l'évidence.

— Seriez-vous devenue ma femme, sans cela ?

Une explosion de colère sans précédent consuma le cœur de Regina. Elle jeta un regard de détresse à sa chemise de nuit gisant sur le sol, loin d'elle. Sa nudité lui interdisait de sortir du lit pour aller réduire en poussière cet individu exécrable. Elle chercha autour d'elle un objet volumineux. Un livre épais, relié de cuir, reposait sur la table de chevet. Elle le saisit et le lança de toutes ses forces contre lui. Il l'évita d'un geste souple. Le lourd volume s'écrasa contre le mur d'en face et retomba sur le sol avec un bruit sourd. Elle tenta de soulever une massive statuette de bronze, mais il s'approcha d'elle et enferma son poignet dans sa main.

— Ne gaspillez pas votre énergie, *querida*. Je connais des moyens beaucoup plus agréables de l'employer, déclara-t-il, regardant avec complaisance le corps qu'elle lui dévoilait.

— Sortez ! hurla-t-elle, complètement hors d'elle, en rabattant fébrilement le drap contre elle de sa main libre.

Souriant ironiquement, il resserra la pression autour de son bras, se pencha sur elle, puis, paraissant se raviser, la lâcha, ramassa lentement le livre, l'épousseta, le posa sur une étagère et partit d'un pas tranquille.

La respiration haletante, le cœur battant la chamade, Regina appuya sa tête contre le montant du lit dans l'espoir de retrouver un peu de calme. A ce moment-là, Juana frappa à la porte et pénétra dans la chambre sans plus attendre. Elle ne manifesta aucune surprise en voyant Regina dans le lit de son maître, heureuse de constater que la querelle qui avait tant alarmé Maria, la veille, s'était résolue de la manière la plus satisfaisante. Elle déposa son plateau sur la table, cueillit la chemise de nuit qui traînait à terre comme si c'était la chose la plus naturelle du monde, la plia avec soin et s'en alla silencieusement.

Regina négligea l'appétissant petit déjeuner préparé pour elle, fit une rapide toilette et s'habilla, décidée à ne pas rester en ce lieu une seconde de plus. Elle se glissa furtivement hors de la maison, prenant bien garde de ne pas être remarquée, et se hâta de quitter les limites de l'estancia. Elle évita de se rendre près de la rivière : c'est là qu'on la chercherait tout d'abord, si on s'apercevait de sa disparition. Elle marcha longtemps, rapidement, les yeux baissés, négligeant les splendeurs du paysage. L'exercice physique l'épuisait mais apaisait sa tension. Elle respirait à pleins poumons pour se libérer de l'oppression qui écrasait sa poitrine. Finalement, elle s'enfonça dans un sous-bois et se laissa tomber contre un tronc d'arbre. Elle observa quelques instants les raies de lumière où dansaient de minuscules poussières. L'ombre rafraîchit ses tempes battantes.

Ainsi, Vicente l'avait trompée depuis leur première rencontre. Par de perfides manœuvres, il l'avait guidée sans difficulté vers le but qu'il s'était assigné dès le moment où il avait jeté les yeux sur elle. De quelle candeur elle avait fait preuve ! A cause de ses mensonges, elle avait même douté de Bella ! Par ses ruses, son habileté diabolique, il avait anéanti toute confiance en sa propre sœur, pourtant tendrement aimée... Lorsqu'il lui avait affirmé que celle-ci s'était engagée à l'épouser, elle l'avait cru. Par quelle aberration ? Bella n'aurait jamais conclu un tel pacte. Son amour pour James l'aurait retenue. Cependant, avec un aplomb remarquable, il lui avait désigné le téléphone, la mettant au défi de l'utiliser.

Et elle, pauvre sotte, y avait vu la confirmation de la vérité de ce qu'il avançait...

La raison pour laquelle il n'avait jamais songé à épouser Bella était facile à comprendre : jamais il n'aurait pu égarer celle-ci avec ses intrigues comme il l'avait abusée, elle. Elle n'était pas femme à se laisser mener si aisément. Tandis qu'il avait discerné en sa cadette la dupe idéale, livrée aux sentiments de son cœur trop tendre, prompt à s'émouvoir sur le sort d'une vieille dame fragile et de son petit-fils si dévoué.

Des heures durant, elle resta blottie au fond de sa cachette, ressassant ses pensées amères. Le piège avait été confectionné de main de maître. Pas plus aujourd'hui qu'hier, elle ne s'en évaderait, sous peine de causer le malheur — qui sait, la mort ? — de Dona Eva.

« La faim fait sortir le loup du bois » pensa-t-elle, se moquant d'elle-même. Son estomac vide la tourmentait, en effet. Résignée, elle se leva en soupirant, et reprit le chemin de l'estancia, lentement, à contre-cœur, en traînant les pieds.

Vicente ne perdait rien pour attendre. Certes, il était arrivé à ses fins. Il l'avait épousée. Cette nuit, il avait possédé son corps. Une fois. La seule. Elle ne lui permettrait plus jamais de recommencer. Il s'apercevrait rapidement qu'elle n'était pas aussi malléable qu'il l'espérait. Elle aussi saurait imposer sa volonté.

Parvenue en vue de la maison, elle remarqua, de loin, deux silhouettes qui paraissaient absorbées dans une conversation animée. En s'approchant, elle reconnut Vicente et Manuela Gomez. Celui-ci entourait les épaules de la jeune femme qui s'appuyait contre lui avec abandon : elle laissa même reposer sa tête un court instant sur sa poitrine. Le sang de Regina ne fit qu'un tour. Son mari, à peine sorti de ses bras, la bafouait publiquement avec une autre femme. Les deux complices n'avaient même pas la décence de se cacher. Ils s'exhibaient aux yeux de tous. Vicente ressentait-il un tel mépris pour elle ? Il n'hésitait pas à la ridiculiser devant tout le personnel... Ce qui s'était passé cette nuit revêtait-il si peu d'importance à ses yeux ? Tromperies, encore, que ces paroles murmurées dans le secret de l'alcôve. Tout n'était donc que ruse et dissimulation chez cet homme ?

Un jour, dans son bureau, elle s'en souvenait clairement, il avait éclaté de rire et affirmé :

— Vous êtes jalouse...

Regina repoussa cette idée avec violence. Non, elle n'était pas jalouse. Pour éprouver un tel sentiment, il faut d'abord aimer... Et elle... La révélation jaillit soudain en elle comme une lumière aveuglante. La terrible souffrance qui l'avait envahie à la vue de Vicente serrant Manuela contre lui, ne pouvait naître que dans le cœur d'une femme amoureuse. Si Vicente lui était indifférent, pourquoi aurait-elle ressenti un tel bouleversement ?

Tout devenait clair. Pourquoi Vicente avait-il si facilement obtenu d'elle ce que Clive lui avait demandé en vain si longtemps ? Cette nuit, elle n'avait opposé aucune résistance, car, inconsciemment, elle désirait être sienne. La force de son amour l'avait attirée dans ses bras, comme un aimant puissant fait venir à lui une frêle épingle, et l'avait livrée à lui sans défense.

Elle regagna discrètement sa chambre et s'allongea, renonçant à mettre de l'ordre dans la confusion de son esprit. Maria, alarmée par son absence, parut quelques instants plus tard.

— Vous n'avez rien mangé depuis le dîner, hier soir, se plaignit-elle, d'un ton chargé de reproches.

— Je souffre d'une migraine, Maria. J'ai seulement besoin de repos et de silence.

Maria ne voulut rien entendre. Comme Regina

refusait énergiquement de se rendre à la salle à manger, elle prépara un plateau qu'elle lui apporta dans sa chambre. Elle surveilla son repas d'un regard de cerbère, ne se laissant pas attendrir par les soupirs profonds de sa jeune maîtresse. Elle consentit à quitter les lieux seulement quand l'assiette fut vide.

Regina saisit un livre, l'ouvrit, parcourut quelques lignes et le referma. Les phrases dansaient devant ses yeux, dépourvues de tout intérêt. Elle vivait une situation infiniment plus dramatique que toutes les héroïnes de romans.

Onze heures sonnèrent à la petite chapelle du village. Vicente n'était toujours pas rentré.

Des images torturantes défilèrent dans son esprit douloureux. Elle l'imagina chuchotant à Manuela les mêmes mots tendres qu'il avait prononcés pour elle, cette nuit. Quelle naïve elle avait été, de croire qu'elle aurait à lui interdire son lit. Vicente avait mieux à faire qu'à quémander ses caresses ! Il l'avait possédée, une fois, par orgueil, par défi, exaspéré par ses refus répétés. Mais, rebuté par son inexpérience, il avait bien vite regagné les bras de Manuela où il connaissait sans doute un bonheur qu'elle-même ne savait pas lui donner.

Elle se leva, marcha de long en large pour tenter d'apaiser la douleur qui étreignait son cœur. Pour la première fois, elle aimait un homme de toutes ses forces, mais cet amour n'était pas partagé. Le jour même où elle découvrait ses sentiments, son mari dormait aux côtés d'une rivale. Vicente avait affirmé avec colère — il n'y avait pas si longtemps — qu'un Cardenosa ne trahissait jamais ses engagements ! Mensonge supplémentaire...

A trois heures du matin, des bruits dans la chambre contiguë lui révélèrent le retour de Vicente. Regina sursauta, et retomba sur son oreiller, les yeux grands ouverts dans l'obscurité. Quelques minutes plus tard, elle entendit la porte de communication s'ouvrir lentement et un pas s'approcher... Elle se souleva sur un coude et prononça d'une voix haute et claire :

— Vous vous étiez engagé à frapper avant d'entrer...

Un flot de lumière inonda la pièce. Vicente, ne voyant plus aucune raison pour rester dans le noir puisqu'elle ne dormait pas, avait allumé la lampe de chevet.

— Je vous prie de m'excuser. Notre degré d'intimité ayant augmenté, je me suis cru dispensé de cette petite formalité, expliqua-t-il d'un ton railleur.

— Vous ne l'êtes pas, répliqua-t-elle sèchement.

Encore brûlant des caresses de cette... femme, il osait évoquer leur intimité !

— Veuillez respecter votre parole, à l'avenir, ajouta-t-elle en clignant des yeux, éblouie par la trop vive clarté de la lampe.

— Quelle parole ? demanda-t-il, l'air faussement étonné. Je ne me souviens pas d'avoir fait une quelconque promesse...

— Oh ! Je..., balbutia-t-elle, le souffle coupé, ulcérée par son audace. Eh bien, ne pénétrez plus du tout dans cette chambre ! Cela sera préférable...

— Señora Cardenosa, s'écria-t-il solennellement. Oublieriez-vous que vous êtes ma femme ?

— Qui oublie que je suis votre femme ? cria-t-elle, blême de rage.

Elle prit le réveil posé sur la table de chevet et le brandit d'un air vengeur.

— Il est trois heures du matin, et vous m'accusez d'oublier que je suis votre femme ! Vous en rappeliez-vous, il y a quelques instants, dans les bras de Manuela Gomez ?

Une lueur d'amusement, et peut-être même de satisfaction, passa fugitivement dans son regard. Non seulement il ne paraissait éprouver aucun remords de sa conduite indigne, mais il se représentait en lui-même avec contentement ses exploits récents !

— Mon petit chat sauvage est-il jaloux ? suggéra-t-il doucement.

— Ne vous méprenez pas ! Vous êtes libre d'occuper vos nuits comme bon vous semble. Mais ne m'obligez pas à assister à vos retours tardifs. Epargnez au moins mon sommeil, lança-t-elle d'une voix ferme.

Feignant de négliger désormais sa présence, elle éteignit brusquement la lumière, lui tourna le dos et rabattit les couvertures jusqu'à ses oreilles. Il resta immobile.

— Ne mentez pas. Vous ne dormiez pas. J'en suis sûr.

Le silence fut la seule réponse.

— Vous m'attendiez. Vous guettiez mon retour. Osez-vous affirmer le contraire ?

Devant son mutisme obstiné, il souleva le drap et se glissa d'un geste vif dans le lit, à ses côtés.

— Sortez ! Sortez immédiatement, ordonna-t-elle en le repoussant de toutes ses forces.

Il opposa un petit rire moqueur à ses tentatives dérisoires.

— Mon petit chat sauvage, répéta-t-il d'un ton câlin.

Ils luttèrent sans un mot, dans l'obscurité, mais la partie était manifestement inégale. Quand il décida que le jeu avait suffisamment duré, Vicente immobilisa le visage de la jeune femme entre ses mains et cueillit ses lèvres avec ardeur. Elle se débattit, tentant de tourner la tête de droite à gauche pour lui échapper. Ses mains prirent alors possession de son corps, lui révélant des caresses inconnues et délicieuses. L'image de Manuela blottie contre lui s'évanouit peu à peu, et toutes ses pensées sombrèrent dans un vertige de sensations nouvelles et merveilleuses. Une part d'elle-même refusait encore. Elle gémit.

— Non, non. Vicente... Je ne veux pas...

Elle retrouva dans la voix de son mari les accents de tendresse qui l'avaient ravie la nuit précédente.

— Mais si, tu veux, ma chérie, ma femme, mon amour...

Bercée par cette douce litanie, emportée par un tourbillon d'une force inouïe, elle oublia ; seules ces mains, cette bouche, ce corps puissant existaient tout à coup. Timidement, peu à peu, elle se surprit à lui rendre ses caresses, à déposer sur sa peau mate des baisers furtifs mais passionnés. Elle comprit alors que, la veille, elle n'avait connu qu'un simple préambule...

Sa déception fut grande lorsqu'elle s'éveilla seule au matin, après quelques heures de sommeil agité. Vicente avait desserré son étreinte pour partir silencieusement. Peut-être se montrerait-il une fois de plus brutal et insolent à son retour ? Combien de temps encore devrait-elle subir l'alternance de ses humeurs, ses allées et venues de son lit à celui de Manuela, ses mensonges et ses moqueries ? Comment pouvait-elle aimer un tel homme ? Elle l'aimait, pourtant, son cœur le lui disait avec certitude : elle ne supporterait plus le partage.

Elle se représenta une suite de dîners solitaires, jour après jour, d'attentes anxieuses dans la nuit, le clocher égrenant lentement les heures, ajoutant chaque fois à sa souffrance. Il lui fallait réagir avant qu'il ne soit trop tard, avant de s'enfoncer dans le désespoir, l'aigreur ou la folie.

Quand Juana arriva, sa décision était déjà à demi arrêtée. Elle lui souhaita le bonjour dans son espagnol hésitant et reçut un large sourire en réponse.

— Savez-vous où se trouve mon mari, Juana ? demanda-t-elle en articulant lentement chaque syllabe.

— Don Vicente est parti au ranch Gomez, Señora, déclara la jeune fille sans hésitation.

— Gracias, Juana.

Regina attendit qu'elle eût refermé la porte derrière elle pour laisser couler ses larmes. Ainsi, dès son réveil, Vicente avait couru rejoindre sa maîtresse. Toutes les paroles prononcées, les caresses dispensées cette nuit ne constituaient pour lui qu'un jeu léger, sans importance. Elle s'en irait donc loin de lui pour toujours, loin des merveilleuses Collines Célestes qui avaient abrité ses premiers instants de bonheur et de plaisir intenses entre les bras d'un homme...

11

Le cœur serré, la gorge nouée, Regina rangea à la hâte ses effets personnels dans ses valises. Revoir Vicente ne servirait qu'à augmenter sa souffrance. Mieux valait s'enfuir dès maintenant. Elle résolut d'utiliser la Mini pour se rendre jusqu'à la prochaine ville. Elle essaierait de la vendre, pour payer son billet de retour vers l'Angleterre. Avec un pauvre sourire, elle remarqua en elle-même que les petites voitures rouges ne restaient pas longtemps en sa possession : elle avait pris la fâcheuse habitude de les échanger contre des billets d'avion...

Ses bagages bouclés, il fallut songer à écrire une lettre d'adieu à Vicente. Devant la feuille blanche, elle se sentit étrangement intimidée. Incapable de mettre de l'ordre dans ses idées, elle composa un message froid et impersonnel où n'apparaissait aucune mention de la véritable cause de son départ. La ruse et les mensonges employés pour la contraindre à l'épouser, lui expliquait-elle en quelques lignes, annulaient en quelque sorte la duplicité dont Bella avait fait preuve à son égard. Elle se jugeait donc quitte, libérée de toute obligation envers lui, la dette de Bella étant réglée. Elle lui laissait le soin d'imaginer un prétexte plausible pour justifier son départ auprès de Dona Eva, une soudaine maladie, par exemple.

Elle posa l'enveloppe bien en vue, sur la table de

sa chambre, impecta le couloir et les environs de la maison, pour vérifier si quelqu'un s'y trouvait. Ils étaient vides. Sans se retourner, elle gagna le hall. Craignant de sortir par la porte principale, elle préféra chercher une issue plus discrète. Soudain, en passant devant une pièce fermée, elle entendit nettement la voix de Vicente. Elle s'arrêta, pâle, interdite. Vicente était-il déjà revenu du ranch Gomez ? Cela paraissait improbable, la distance séparant les deux domaines étant importante. Un bruit de pas la fit sursauter. Il ne fallait surtout pas qu'on l'aperçût, les valises à la main, en tenue de voyage.

Elle ouvrit une porte au hasard, s'engouffra dans une pièce sombre. Elle poussa un soupir de soulagement : l'endroit était inoccupé...

Au travers de la cloison, elle pouvait saisir par bribes les phrases prononcées par Vicente, interrompues par de longs silences. Il s'agissait donc d'une conversation téléphonique. Terrifiée, elle attendit que le claquement des talons sur le dallage eût disparu, jeta un regard apeuré dans le couloir et s'éloigna sur la pointe des pieds.

Elle se sentit tout à fait rassurée lorsque, fonçant à toute allure au volant de son petit bolide rouge, elle eut mis un nombre respectable de kilomètres entre elle et l'estancia. A ce moment-là seulement, les paroles surprises contre son gré lui revinrent en mémoire. Si sa connaissance imparfaite de l'espagnol ne l'avait pas trahie, elle venait de découvrir un secret d'une importance capitale : Vicente avait déclaré à son interlocuteur être totalement ruiné !

Regina prit conscience de l'énormité de la nouvelle. L'orgueilleux Vicente n'y survivrait pas. Elle n'avait pas compris, bien sûr, les réponses de la personne à laquelle il s'adressait — le directeur de sa banque, peut-être — mais elle avait perçu distinctement le sens général de l'entretien.

— J'ai épluché les livres de compte, avait affirmé

Vicente. On ne peut s'y tromper. Oui... Les prix du bétail vont encore baisser, il faut vendre le troupeau tout de suite, avait-il continué d'une voix extrêmement grave, après un silence. Oui... Sans doute... C'est la seule solution...

Plusieurs fois, au cours de leurs promenades, Vicente et Regina avaient admiré les splendides animaux paissant par milliers dans les grasses prairies entourant l'estancia. Comment imaginer que tout cela ne représentait plus aucune valeur ? La jeune femme ignorait tout des lois régissant ce genre de commerce. L'estancia n'était sans doute pas aussi prospère qu'elle l'avait estimé. Vicente avait peut-être conclu de mauvaises affaires et il se trouvait désormais acculé à une situation désespérée.

Pauvre Vicente ! Toute sa rancune oubliée, Regina songea avec effroi à la souffrance qu'il devait endurer. Jamais il ne s'était plaint. A aucun moment, il n'avait prononcé un mot ou effectué un geste qui aurait révélé son désarroi. Au contraire, il avait, sans sourciller, offert à sa jeune femme un cadeau extrêmement coûteux, le jour de ses noces, pour cacher à tout le monde la terrible vérité.

Soudain, Regina ralentit et rangea la voiture sur le bas-côté de la route. Elle s'apprêtait à abandonner son mari quelques jours seulement après son mariage, alors que celui-ci affrontait par ailleurs des difficultés insurmontables. Sa fierté ne supporterait pas ce nouveau coup. Son amour pour lui domina son ressentiment. Sa place était à ses côtés en cette période dramatique. Plus tard, elle aviserait.

Elle exécuta un demi-tour et reprit le chemin de l'estancia. Elle vendrait tout de même la Mini, mais dans un autre but, cette fois. La Maserati de Vicente, les magnifiques chevaux de race seraient sacrifiés également. Une partie du personnel serait licencié pour diminuer les frais. Elle-même était prête à travailler avec courage aux côtés de son mari pour rendre à l'estancia sa splendeur passée.

Brusquement, son cœur sauta dans sa poitrine. Pourvu que Vicente n'ait pas découvert son message d'adieu ! Elle accéléra pour arriver à temps.

A ce moment-là, elle aperçut la voiture de Vicente venant en sens inverse à une allure folle. Dès qu'il la vit il freina brutalement, au risque de déraper. Il surgit alors, ouvrant la portière à toute volée, le visage défait, les yeux étincelants, les poings serrés. Dans un réflexe de peur, Regina appuya instinctivement sur l'accélérateur. Il se lança immédiatement à sa poursuite. Les deux moteurs rugissaient, provoquant un fracas infernal. Affolée, Regina tentait de maintenir la distance qui les séparait, mais la Maserati se rapprochait dangereusement. Elle augmenta encore sa vitesse, frôlant l'accident à chaque virage.

Il a lu ma lettre, songeait-elle, terrifiée. Il en avait sans doute conclu qu'elle avait eu vent de sa faillite financière et le quittait à cause de cela...

Ils parvinrent à l'estancia en même temps. Vicente se rua sur elle sans même prendre soin de couper son moteur. Il l'agrippa par le bras avec rudesse et l'obligea à sortir sans ménagements. Il prit ses valises dans le coffre arrière, confirmant ainsi qu'il avait bien eu connaissance de son billet. Sans se soucier de ses protestations, il l'entraîna vers le hall et la poussa à l'intérieur de sa chambre. Il en referma la porte avec soin, d'un air féroce, jeta les bagages sur le lit et se retourna vers elle.

— Et maintenant, vous aller m'expliquer votre conduite. Que signifie cette fuite ?

Le cœur battant à tout rompre, haletante, Regina fit un effort pour répondre.

— Vous connaissez mes raisons, s'écria-t-elle en désignant les feuillets couverts de son écriture, froissés, éparpillés sur le plancher.

— Jamais je ne vous laisserai partir, vous m'entendez ? Vous êtes à moi, cria-t-il en la saisissant par les poignets d'un geste possessif.

Par un sursaut de fierté jailli des profondeurs de son être, elle osa l'affronter, malgré sa frayeur.

— Je n'appartiens à personne d'autre qu'à moi-même, affirma-t-elle en relevant le menton par défi.

— Vous êtes ma femme. Je ne tolérerai pas que vous alliez rejoindre un autre homme.

— Un autre homme ? répéta-t-elle, sincèrement surprise.

— Ne faites pas l'étonnée. Je sais que depuis l'arrivée de cette maudite lettre, vous brûlez de vous retrouver dans les bras de Clive...

— Vous vous trompez... commença-t-elle, s'efforçant de garder son calme.

Mais il l'interrompit aussitôt. Il ne l'écoutait pas. Submergé par la rage, il la secoua avec emportement.

— Vous mentez !

— Je me dirigeais vers l'estancia, lorsque vous m'avez croisée, argumenta-t-elle.

Décontenancé, il la lâcha et croisa les bras sur sa poitrine.

— L'appât du gain, ricana-t-il amèrement. Après mûre réflexion, vous avez sans doute conclu qu'il y aurait plus à gagner en restant ici...

La jeune femme blêmit. En un instant, toute sa peur disparut pour laisser la place à une violente explosion de colère.

— Vous êtes un rustre, un goujat, un ignoble individu ! hurla-t-elle d'une voix aiguë. Vous croyez m'égarer en m'accusant, pour n'avoir pas à justifier vous-même de votre attitude indécente.

— Indécente ?

Cette fois, ce fut au tour de Vicente de paraître abasourdi.

— Oui, indécente. Je vous ai vu de mes propres yeux enlaçant votre maîtresse, publiquement...

— Ma maîtresse ?

— N'espérez pas me tromper par vos airs inno-
cents. Votre maîtresse, oui... Manuela Gomez, chez
qui vous passez vos nuits, une semaine à peine après
votre mariage...

Par un de ces brusques revirements d'humeur dont
il possédait le secret, Vicente passa d'une seconde à
l'autre de l'exaspération la plus vive au rire le plus
franc et le plus joyeux. Ses yeux pétillaient de malice.
Sa voix se chargea d'accents charmeurs où l'on
discernait cependant quelques inflexions ironiques.

— Cette fois, vous ne pourrez pas le nier : vous
êtes jalouse.

— C'est faux, rétorqua-t-elle en adoptant l'air
digne d'une femme outragée. Je n'éprouve aucune
jalousie, déclara-t-elle, consciente de mentir de façon
éhontée. En revanche, j'exige de votre part un peu
plus de discrétion et de respect. Il est insultant pour
moi qu'à peine sorti du lit de cette... personne, vous
osiez...

Elle s'arrêta, rouge de confusion.

— ... pénétrer dans celui où ma femme m'attend
avec impatience, brûlante d'un désir si nouveau pour
elle, compléta-t-il avec assurance.

Elle ouvrit la bouche pour protester, mais il était
déjà près d'elle, fermait ses lèvres d'un baiser,
l'entourait de ses bras.

— ... Car vous aimez les moments que nous
partageons dans le secret de la nuit, n'est-ce pas,
querida ? murmura-t-il d'une voix douce comme une
caresse.

Quelque part dans le corps de Regina, une délicieuse chaleur s'insinua, annonciatrice de l'embrase-
ment merveilleux qui lui faisait perdre toute notion
de temps. Elle le repoussa avec force, refusant de
s'abandonner à ce vertige dangereux. A sa grande
surprise, il ne résista pas, s'éloigna d'elle.

— Cette situation m'est devenue insupportable,

Vicente, plaida-t-elle avec lassitude. Nous devons avoir une explication sincère.

— Très bien, acquiesça-t-il en s'appuyant contre la table. Je vous écoute.

Regina baissa la tête, comme pour se recueillir en elle-même avant de prendre la parole. Il lui faudrait se montrer d'une extrême prudence. La moindre erreur ranimerait la fureur de Vicente et le dialogue se transformerait aussitôt en une dispute stérile et épuisante.

— J'avais en effet résolu d'en finir, de vous quitter pour toujours, commença-t-elle doucement. Bien plus que les prétextes invoqués dans ma lettre, la raison réelle de ce départ résidait dans vos relations avec Manuela...

Les sourcils de Vicente se froncèrent imperceptiblement mais il resta silencieux.

— Je ne vous adresse aucun reproche, reprit-elle avec vivacité. Cependant, je me sens incapable de mener une telle vie, de partager un homme avec une autre. Mes grands-parents m'ont élevée dans le respect de principes aujourd'hui démodés, sans doute, ajouta-t-elle en souriant.

— Continuez, l'encouragea-t-il d'un ton neutre, démenti par une lueur d'amusement dans le regard. Pourquoi avez-vous changé d'avis ?

— Au moment de mon de mon départ, j'ai surpris... C'est-à-dire, j'ai appris...

Cherchant désespérément les mots les plus proches à ménager sa susceptibilité, elle bégaya piteusement, puis lança impulsivement :

— Oh ! Vicente ! Je sais tout.

— Vous savez tout ? répéta-t-il, intrigué. Que savez-vous donc, exactement ?

Il ne lui épargnerait donc aucune précision. Il voulait maintenir à tout prix l'illusion que tout allait bien, porter seul le fardeau des difficultés qui pesaient sur lui.

— Je connais la vérité, Vicente : vous êtes ruiné, murmura-t-elle, accablée à l'idée de la souffrance qu'elle lui infligeait.

— Ruiné ? s'exclama-t-il, stupéfait.

Ainsi, il avait décidé de nier jusqu'au bout, de refuser l'évidence. Son remarquable talent de comédien lui avait fait trouver l'expression juste — les yeux ébahis, la bouche entrouverte — de celui à qui on annonce une nouvelle inattendue, incroyable.

— J'ai, bien malgré moi, entendu la conversation que vous avez eue ce matin avec... le directeur de votre banque, peut-être ? Il en ressortait clairement que votre situation financière était sans issue... expliqua-t-elle lentement, avec d'infinies précautions, comme on révèle à un enfant un événement douloureux.

Il la regarda longuement sans répondre, avec une intensité presque insoutenable, comme s'il cherchait à découvrir le sens caché de ces phrases.

— Je parlais en espagnol, finit-il par remarquer. Etes-vous certaine d'avoir compris ?

— Ma connaissance de cette langue est rudimentaire, bien sûr, mais suffisante. J'ai parfaitement saisi de quoi il retournait.

— Pourriez-vous me répéter les mots que j'ai prononcés ?

— Oh, Vicente ! Pourquoi vous torturer ?

— Je vous en prie, insista-t-il avec fermeté.

Elle s'exécuta, craignant de ranimer sa fureur.

— Il était question de la baisse des prix du bétail, de la vente du troupeau... Vous avez affirmé que vous aviez épluché les livres de compte, qu'il n'existait aucune autre solution, acheva-t-elle, dans un souffle, d'une voix presque inaudible.

— Ensuite ?

— Je suis partie. J'ignore ce qui s'est passé par la suite.

— Vous vous êtes alors dirigée droit vers votre

chambre et vous avez fait vos valises, gronda-t-il en se relevant brusquement. Vous supportiez de partager l'existence d'un homme que vous haïssiez à condition que ses poches fussent bien garnies. Le sachant ruiné, vous n'avez eu qu'une hâte : vous enfuir au plus vite...

Il agrippa le rebord de la table comme pour se retenir de se ruer sur elle. Les yeux de Regina s'embuèrent de larmes. Ils ne seraient donc jamais capables de mener une conversation paisible jusqu'à son terme. Il faudrait toujours en venir aux insultes, aux paroles blessantes. Elle refusa de céder à la colère provoquée par ses accusations injustes.

— Mes bagages étaient bouclés et ma décision arrêtée avant que je ne surprenne votre entretien téléphonique, corrigea-t-elle fermement maîtrisant son tumulte intérieur. En réalité, je vous croyais absent, parti pour le ranch Gomez... Lorsque j'ai reconnu votre voix, la peur d'être surprise m'a incitée à courir jusqu'au garage. Ensuite, j'ai compris la portée de la révélation que j'avais découverte par hasard. J'ai compris ce que cela signifiait pour vous. J'ai pensé à votre souffrance, à votre humiliation, à la destruction de tous vos espoirs. Mon départ vous aurait asséné un coup supplémentaire. Je n'ai pas pu m'y résoudre. Je suis revenue pour occuper à vos côtés ma place d'épouse, partageant vos joies et vos peines, vous aidant à affronter vos difficultés et à reconstruire l'estancia de Cardenosa telle qu'elle était auparavant... Vous me jugez si intéressée, si dépourvue de toute générosité, que cette hypothèse ne vous a même pas effleuré, acheva-t-elle sèchement.

Un long silence s'installa entre eux. Tour à tour hésitant, incrédule, stupéfait, ému, le regard de Vicente avait reflété les différentes phases de ses émotions. Encore méfiant, il dévisageait la jeune femme comme s'il voulait lui arracher tous les masques derrière lesquels elle se cachait peut-être, mettre son âme à nu. Puis, très grave, articulant distinctement chaque syllabe, il demanda :

— Vous ne me détestez donc pas, Regina ?

— Pourquoi vous détesterais-je ? s'exclama-t-elle spontanément, sans arrière-pensée.

Elle se mordit alors les lèvres, comprenant sur quel terrain dangereux il l'avait entraînée.

— Si... Si je vous détestais, précisa-t-elle embarrassée, je... nos... relations ne seraient jamais devenues aussi... intimes...

Un sourire lumineux éclaira le visage de Vicente.

— Je croyais que vous aviez seulement succombé à mon charme irrésistible, lança-t-il d'un ton léger.

La jeune femme parut goûter assez peu la plaisanterie, aussi se reprit-il aussitôt.

— Vous voilà donc déterminée à rester à Cerros de Cielo jusqu'à ce que la situation soit redevenue normale ? demanda-t-il.

Elle hocha la tête en signe d'approbation.

— Pendant ce temps, en ce qui concerne Manuela, souffrirez-vous le partage ?

— Non, répliqua-t-elle vivement. Aussi longtemps que vous conserverez des relations avec elle, j'exige que vous ayez la pudeur de ne pas me rejoindre dans mon lit...

— Et si je vous donne solennellement ma parole qu'il n'y a jamais rien eu entre Manuela et moi, serai-je le bienvenu dans votre lit ? interrogea-t-il lentement, d'une voix posée.

— Mais.. Vous... balbutia Regina.

— Pas davantage que votre sœur, si belle et si glacée, Manuela Gomez n'a inspiré en moi le moindre désir. Nos rapports se sont toujours bornés à une amitié et une affection réciproques. Mon estime pour son mari m'aurait d'ailleurs interdit de les pousser plus loin. Pourtant, lorsque je vous ai présentées l'une à l'autre, j'ai surpris votre regard suspicieux.

J'ai intentionnellement laissé planer une ambiguïté sur nos relations. Il ne me déplaisait pas que vous soyez jalouse...

— Mais... Pourquoi ?

— Pourquoi, ma douce petite innocente ? Parce que je ressentais moi-même une violente jalousie vis-à-vis de Clive, depuis que je connaissais son existence. Je voulais vous voir vous débattre dans les mêmes affres, les mêmes tourments que ceux que j'endurais.

— Vous ? Jaloux de Clive ?

— Comme un tigre, *querida*. Comme un tigre, admit-il sans la moindre gêne.

Abasourdie par cette révélation, Regina tenta de mesurer avec exactitude les implications de ces paroles étonnantes. Tout à coup, la joie envahit son cœur. Il n'était pas très charitable de sa part de montrer un tel plaisir à l'évocation de ses souffrances, pourtant elle ne put réprimer un sourire étincelant.

— J'ai progressivement compris que mes sentiments pour Clive n'avaient été qu'un engouement passager, sans conséquence, avoua-t-elle à son tour. La lecture de sa lettre me l'a confirmé avec certitude : je n'éprouvais aucune satisfaction à le savoir libre.

Il la contempla avec une infinie tendresse, s'approcha d'elle, la serra passionnément contre lui. Elle s'abandonna à son étreinte sans aucune réticence, pour la première fois.

— Est-ce à ce moment que vous avez pris conscience de votre amour pour moi ?

— Non, pas à ce moment-là, répliqua-t-elle étourdiment avant de comprendre qu'il avait réussi à obtenir de façon détournée l'aveu souhaité. Oh ! s'exclama-t-elle, devenant écarlate, tandis qu'il l'enlaçait avec plus d'ardeur encore, en poussant un cri de triomphe.

Il couvrit son visage de petits baisers rapides, plongea son regard dans le sien avec gravité.

— Regina Cardenosa, je vous ai aimée depuis la première seconde où je vous ai rencontrée...

Trop émue pour répondre, Regina ferma les paupières, savourant son bonheur.

— Je m'étais déplacé jusqu'à Montevideo pour signifier à une certaine Regina Barrington que ses services étaient désormais inutiles. C'est alors qu'une jeune fille radieuse, un ange aux yeux candides, a pénétré dans la chambre, et dans ma vie... J'ai su instantanément pourquoi j'avais refusé tout projet de mariage jusque-là, pourquoi je m'étais élevé avec vigueur contre la volonté de mon grand-père, attitude tout à fait inhabituelle chez moi. La femme que j'attendais depuis si longtemps se trouvait devant moi.

Regina buvait chacun de ses mots avec délices. Il se pencha sur elle et prit ses lèvres avec fougue.

— Oh, Vicente ! chuchota-t-elle, essayant de conserver quelque lucidité. Vous aviez décidé de renvoyer Bella en Angleterre ? Mais... votre grand-mère ? Ne vouliez-vous pas sauver votre grand-mère du désespoir ? Ne m'avez-vous pas ramenée ici pour...

— Parce que je vous aimais, ma chérie. Uniquement parce que je désirais faire de vous ma femme. C'était là la seule raison...

— Pourtant, Dona Eva... insista Regina, ne parvenant pas à le croire.

— Quel autre moyen aurais-je pu employer pour vous persuader de rester près de moi ? J'ai perçu la grande tendresse qui vous unissait à vos grands-parents. J'ai supposé, avec raison, que la vue de ma frêle *Abuela* provoquerait en vous la naissance du même sentiment et vous retiendrait à mes côtés.

Les sourcils de Regina se froncèrent un court instant. Il n'avait pas hésité à utiliser des procédés quelque peu... contestables, pour atteindre son but. Il n'en manifestait apparemment aucun remords.

— Ma grand-mère, sous ses dehors fragiles, continua-t-il d'une voix égale, est solide comme un chêne. Bien sûr, la mort de son cher Roberto l'a beaucoup éprouvée. Mais le médecin qui veille sur elle est formel : elle atteindra sa centième année sans coup férir !

Regina balançait entre la joie d'apprendre que Dona Eva possédait une santé de fer et la réprobation envers les manœuvres dont elle avait été l'objet. Mais comment aurait-elle pu persister longtemps dans sa mauvaise humeur ? Pressée contre la poitrine de l'homme qu'elle aimait de toutes ses forces, bercée par les mots tendres qu'il murmurait à son oreille, elle renonça à tout reproche.

— Nous sommes deux désormais pour affronter les épreuves, assura-t-elle en caressant ses cheveux de jais. Nous réussirons à les surmonter. Nous rendrons à l'estancia de Cardenosa toute sa prospérité.

A la pression accentuée de ses mains sur elle, elle devina qu'elle l'avait touché au-delà de toute expression.

— Me pardonnerez-vous jamais de vous avoir soupçonnée de cupidité ? La colère m'égarait. Une part de moi-même connaissait votre générosité, pourtant. Votre attitude envers *Abuela* la révélait clairement. Il me suffisait de faire appel à votre cœur pour vaincre votre résistance... Je dois encore vous avouer quelque chose, ajouta-t-il après un court silence.

— Avouer ? s'écria Regina en se détachant de lui de nouveau saisie par la crainte.

L'expression espiègle de Vicente ne présageait cependant aucune nouvelle catastrophe.

— Je reconnais volontiers, mon amour, que vous avez fait d'étonnants progrès en espagnol. Néan-

moins, certaines subtilités vous échappent encore...
Si vous aviez assisté à la fin de ma conversation
téléphonique, vous auriez compris que mon interlocuteur n'était pas le directeur de ma banque mais
Jorge Gomez.

— Jorge Gomez?

— J'avais promis de lui rendre visite ce matin. Je
me suis levé dans cette intention. Mais... Comment
aurais-je pu m'éloigner de vous? Délicieuse magi-
cienne, vous m'aviez ensorcelé. Sur la route, je me
suis souvenu de votre chevelure dorée répandue sur
l'oreiller, de votre respiration régulière comme celle
d'un enfant, de votre épaule ronde émergeant du
drap... J'étais prisonnier. J'ai fait demi-tour et j'ai
appelé Jorge au téléphone.

Regina suivait l'exposé avec une attention soutenue.

— La nuit précédente, je me trouvais en effet au
ranch Gomez...

Elle cilla imperceptiblement et Vicente perçut sa
brusque tension.

— Rassurez-vous. J'allais voir Jorge, non
Manuela. Celle-ci, en effet, m'avait confié quelques
semaines auparavant que son mari affrontait des
difficultés financières très importantes. Jorge est un
homme très fier, très susceptible. Il semblait à ce
moment-là délicat de lui offrir mon aide. Il l'aurait
sans doute rejetée. Mais hier, Manuela, très
inquiète, est revenue réclamer mon soutien. La
situation s'était considérablement aggravée. Jorge,
acculé au désespoir, songeait au suicide.

Regina, honteuse, se souvint d'avoir interprété un
geste de réconfort comme une caresse signant la
culpabilité de deux complices.

— J'ai accompagné Manuela jusqu'au ranch.
Jorge a accepté de me faire part de ses problèmes. Ils
se révélèrent extrêmement graves.

— Oh! s'exclama Regina, navrée. Avez-vous découvert une solution?

— Nous avons envisagé toutes les possibilités. J'ai demandé à consulter les livres de comptes et il ne s'y est pas opposé. J'ai examiné chaque page avec un soin minutieux, dans l'espoir de détecter une erreur. Ceci explique ma rentrée tardive.

— Je suis navrée de vous avoir accusé aussi injustement, affirma t elle, confuse.

Il sourit, prit sa main et y déposa un baiser en guise de pardon.

— Lorsque ces vérifications s'achevèrent, continua-t-il, Jorge et Manuela dormaient depuis longtemps. Je rédigeai un rapide billet pour les avertir que je reviendrais le lendemain matin. J'avais hâte de vous rejoindre...

— Les livres de comptes ne vous ont rien appris de nouveau, n'est-ce pas?

— Non. Il paraissait impossible de remettre l'exploitation à flot dans sa forme présente. En revanche, une suggestion s'est présentée à mon esprit. Certains éleveurs ont réussi avec succès une reconversion de leurs activités. La laine représente actuellement une valeur sûre. J'ai proposé à Jorge d'acheter des moutons avec le profit retiré de la vente de son troupeau. Une bonne nuit de sommeil, la première depuis longtemps, l'ont disposé à accueillir favorablement mon conseil. J'ai bon espoir, maintenant.

— Oh! Vicente! Je suis si heureuse! Mais, vous-même, n'êtes-vous pas affecté par la baisse des prix du bétail?

— J'ai depuis longtemps veillé à obtenir un bétail hautement sélectionné, d'une qualité particulière, qui me met à l'abri des fluctuations du marché. D'ailleurs, ajouta-t-il en souriant, je possède également des intérêts dans d'autres secteurs, qui assureraient mes besoins les plus immédiats en cas de catastrophe soudaine. Etes-vous rassurée ?

— Oui. Tout à fait, répondit la jeune femme sur un ton où perçait une infime nuance de déception.

Il devina sa pensée.

— Si votre présence n'est plus nécessaire pour m'aider à redonner sa prospérité à l'estancia, elle m'est, à moi, indispensable. La seule richesse qui compte à mes yeux désormais, c'est votre amour. Loin de vous, je serais le plus pauvre des hommes.

Le ciel s'était assombri, et un éclair illumina leurs silhouettes enlacées. Regina se blottit un peu plus contre la poitrine de son mari.

— Célébrons la venue de l'orage, mon amour. C'est lui qui nous a réunis. Et chaque fois qu'il éclatera, nous l'oublierons ensemble, comme la première fois...

Il l'enleva dans ses bras puissants. il sembla à Regina que les lourds nuages noirs avaient été balayés par le vent, pour toujours.

NOTRE AUTEUR

JESSICA STEELE, née dans la région des Midlands en Angleterre, fut l'avant-dernière d'une famille de sept enfants. Elle garde de son enfance des souvenirs heureux, bien que la maladie l'ait souvent retenue au lit.

Atteinte de tuberculose à quinze ans, elle ne put compléter ses études scolaires. Il lui faudrait encore attendre huit ans avant de pouvoir guérir complètement, alors que son mariage avait déjà tourné en déroute.

A trente ans, elle mettait une croix sur le mariage, et les hommes en général... c'était compter sans Peter Steele! Car c'est grâce à lui que Jessica, retrouvant enfin son équilibre moral, se mit à écrire "sérieusement".

Ses premiers essais furent rejetés, mais sa farouche détermination et le constant soutien de Peter l'aidèrent à persévérer... et à réussir enfin! A cette époque, Jessica travaillait aussi dans la fonction publique.

Mais son succès en tant que romancière prenant de plus en plus d'importance, on comprend pourquoi Jessica consacre à présent tout son temps à l'écriture.

Éternelle jeunesse du roman d'amour!

On a l'âge de son esprit, dit-on. Avez-vous jamais songé à vérifier ce dicton?

Des romancières célèbres telles que Violet Winspear, Anne Weale, Essie Summers, Elizabeth Hunter… s'inspirant du vrai roman d'amour traditionnel, mettent en scène pour votre plus grand plaisir héros et héroïnes attachants, dans des cadres romantiques qui vous transporteront dans un monde nouveau, hors de la grisaille du quotidien. En partageant leurs aventures passionnantes, vous oublierez soucis et chagrins, vous revivrez les émotions, les joies…la splendeur…de l'amour vrai.

Six romans par mois…chez vous…sans frais supplémentaires…et les quatre premiers sont gratuits!

Vous pouvez maintenant recevoir, sans sortir de chez vous, les six nouveaux titres HARLEQUIN ROMANTIQUE que nous publions chaque mois.

Et n'oubliez pas que les 6 vous sont proposés au bas prix de \$1.75 chacun, sans aucun frais de port ou de manutention. Pour vous assurer de ne pas manquer un seul de vos romans préférés, remplissez et postez dès aujourd'hui le coupon-réponse suivant: